Sedir

Les Incanta

Die Beschwör

Der menschliche Logos – Die Stim. von Brahma
Die Töne und das astrale Licht – Wie man Magier wird

Mein Dank geht an Peter Windsheimer für das Design des Titelbildes. Des Weiteren an Ariane und Michael Sauter.

Für Schäden, die durch falsches Herangehen an die Übungen an Körper, Seele und Geist entstehen könnten, übernehmen Verlag und Autor keine Haftung.

Copyright © 2011 by Christof Uiberreiter Verlag
Castrop Rauxel • Germany

Herstellung und Verlag:
BoD – Books on Demand, Norderstedt
ISBN 978-3-7322-6360-8

2

Inhaltsangabe:

Vorwort

Mit besonderer Freude haben wir dieses Buch des bekannten Mitgliedes der Martinisten und Freundes des Hermetikers Papus aus dem Französischen übersetzen lassen. Leider stellt Paul Sedir, mit bürgerlichen Namen Yvon Le Loup, das gleiche Problem wie Crowley dar, nur fiel ersterer vom Weg der Mitte zur rechten Seite ab. Er wurde Mystiker, dessen einseitige Veränderung selbst seinen Freunden aufgefallen ist. Aber bevor dies der Fall war, schrieb er dieses Buch. Bardon erwähnte es in einem Brief an Maria P., dass es eines der drei – vor seinem Werk – existierenden Bücher über praktische Quabbalah darstellt. Das ist der Grund, warum wir es übersetzen ließen.

Ich möchte aber gleich darauf aufmerksam machen, dass dieses Werk hoch philosophisch ist. Es werden viele alte Texte mit fremdländischen Namen zitiert, weswegen der Inhalt oftmals schwer zu verstehen ist. Es ist stark dem indischen Mantra- und Tantrasystem angelehnt. Es wird viel angedeutet und auch symbolisch beschrieben, aber wer zwischen den Zeilen lesen kann, für den stellt es eine wahre Fundgrube dar. Des Weiteren ist der Schreibstil aus dem 19. Jahrhundert, welcher das hermetische Textverständnis ein wenig erschwert. Wir haben nämlich den Inhalt im alten Stil so belassen, denn er birgt einen Hauch von philosophischer Nostalgie. Der Leser möge sich dadurch jedoch nicht entmutigen lassen. Mit fortschreitender hermetischer Praxis wird sich dieses Buch dem Kundigen erschließen.

Widmung:

Für F.-CH. Barlet.

Sehr geehrter Herr und Freund,

Erlauben Sie einem derer, bei denen Ihre Charakterstärke und Ihre Arbeiten größte Bewunderung hervorgerufen haben, Ihnen öffentlich diesen Essay meiner Studien zu widmen. Als mir das „**Sefer Yetzirah**" von Papus vor fünf Jahren in die Hände fiel, zweifelte ich lange Zeit daran, eines Tages diese Symbole beleben zu können und sie um mich herum in einem „universellen Organismus" zu verstehen. Ihr Werk „Evolution de l'Idee" [Entwicklung der Idee] war das erhellende Leuchtfeuer, das in der Dunkelheit meines Verstandes zum Vorschein kam: Ich erkannte durch seine Klarheit sowohl das Gesetz von „Nahash", als auch jenes von „Schema"; die Begriffe, die regungslosen und schweren Standbildern gleich meine Erinnerungen bevölkerten, wurden plötzlich lebendig und ich konnte endlich glauben, dass die Türen des Tempels mir nicht mehr verschlossen bleiben würden. Durch diesen zweiten und unvergesslichen Hinweis habe ich Sie immer in lebhaftester und dankbarster Erinnerung bewahrt. Ein anderer meiner Lehrer nannte Sie in der Würdigung, die er Ihnen in seiner „Traité de Magie pratique" (Abhandlung über praktische Magie) zukommen lässt, den Kopf jener spirituellen Wiedergeburt, deren unermüdlicher Pionier Sie bleiben. Wir sind eine ganze Schar, die Sie seit langer Zeit als einen solchen hochachten und für den wir Stunden unserer Zeit, unsere Weisheit und unser Wissen unbegrenzt hergeben. Für uns vervielfacht sich Ihre Ergebenheit und Ihre erleuchtende Güte. Die Gabe des Eingeweihten vermehrt sich durch das Lächeln eines Freundes auf das Dreifache. Sie haben uns miteinander verbunden und unsere jugendliche Unabhängigkeit beugt sich mit Freude dem Klang der verzaubernden Worte, die nichts weiter als den Ruhm der Idee beschwören. Nehmen Sie diese Seiten mit Anmerkungen als ein recht unvollkommenes Zeichen der Anerkennung an. Die Aufrichtigkeit meiner Geste erlaubt, so hoffe ich, den geringen Umfang durch Ihre Nachsicht zu entschuldigen.
Es ist ein zweiter Schritt auf diesem harten Weg, auf dem Sie mir auf der langen Strecke vorangegangen sind, die den Meister vom Schüler trennt. Kann ich ihn mit Ausdauer gehen, werde ich endlich wie Sie den

Erhabenen Tempel des „Tiefen Friedens" erreichen, den uneinnehmbaren Zufluchtsort der Vorfahren der Rosen+Kreuzer.

SÉDIR

Paris, den 8. Dezember 1895.

EINLEITUNG

Das Thema, mit dem wir uns heute beschäftigen, um in die gesamte Thematik einzuführen, ist von großer Wichtigkeit. Wir sollten den Leser gleich jetzt darauf aufmerksam machen, dass wir ihm mit diesem Bereich der praktischen Magie in höchstem Maße unsere eigenen Erfahrungen vermitteln. Zum Anderen haben wir dies noch nicht im Ganzen veröffentlicht. Wir haben uns bemüht, eine einheitliche Zusammenfassung der verschiedenen Ausdrucksformen des **magischen Wortes** zu verfassen, haben aber dabei vielleicht die Zeugnisse der Gelehrsamkeit und der Form außer Acht gelassen. Wir haben nun die Kühnheit, die Ansichten eines unbekannten Philosophen zu zitieren:

„Obwohl die Erleuchtung für alle Augen geschaffen wurde, ist es dennoch sehr gewiss, dass nicht alle Augen gemacht sind, um sie in ihrem Glanz zu erkennen. Deshalb gibt es eine kleine Zahl Menschen, Bewahrer der Wahrheit, wie ich sie nenne, die umsichtig und verschwiegen in höchst förmliche Verpflichtungen eingeweiht sind. Auch nahm ich mir vor, in diesem Schriftstück viel Zurückhaltung zu wahren und mich dort, wohin die einfacheren Augen nicht immer vordringen können, oftmals in einen Schleier [des Schweigens] zu hüllen, zumal ich an diesen Stellen manchmal von ganz anderen Dingen spreche, als ich zu erörtern scheine." (Von Irrtümern und der Wahrheit, p. V.)

Es ist genauso, wie in den Schriften im engen Kreis unserer bescheidenen und geeigneten Wissenschaft, dass die Dinge, mit denen wir uns beschäftigen, weit entfernt von unserem Thema zu liegen scheinen, und dass wir uns darin mit entgegengesetztem Gedankengut auseinandersetzen, wodurch uns aber die [verschiedenen] Möglichkeiten aufgezeigt werden. Man wird die große Anzahl von Zitaten auf diesen Seiten bemerken. Es gibt nichts Neues unter der Sonne und alles, was gesagt werden kann, ist gesagt worden. Deshalb haben wir es vorgezogen, den Meistern so häufig wie möglich das Wort zu überlassen. Wir beschränken uns darauf, ihre Lehren in speziellen Kreisen zu verbreiten. Das Studium, dem wir uns unterziehen wollen, kann man auf zwei Arten betrachten:

Im Okkultismus verpflichtet das Gesetz der Übereinstimmungen (Analogien!) den Suchenden dazu, der gewachsenen Etymologie der Worte ganz besondere Aufmerksamkeit zu gewähren, damit sie ihm dazu diene, ihm bei seiner Meditation zu helfen oder sein Denken zu unterstützen. Er muss, laut der Formulierung von Jacob Böhme, die Sprache der Natur lernen und verstehen, jene bewundernswerte Manifestation, durch welche die Schöpfungsidee in dem Maße sichtbar ist, in dem sie in einem symbolischen Gewand aus Luft und Licht lebendig wird und mit dieser oder jener besonderen Entwicklung genau übereinstimmt. Das Wort „Beschwörung" ist eines der interessantesten, das unter diesem Gesichtspunkt zu studieren wäre. Auf seine Grundbestandteile reduziert, ergibt es die Idee der Bestimmung dieser leeren Finsternis in Ort und Zeit, durch welche die ganze Verkörperung beginnt: In *Hain Noun (Hebräisch)* wird man diese Art von Veränderung, ihren zwei wichtigen Bereichen dem Licht und der Dunkelheit folgend in dem Schema, das dem Wort gleicht, sehr gut beschrieben sehen. Dies ist also die erste Methode der Erklärung, absteigend von oben nach unten, welche die erfolgreiche Verkörperung des Ursprungs bis in die Materie beschreibt. Die zweite Methode, entgegengesetzt der Vorhergehenden, ist gekennzeichnet durch die Vermischung verschiedener Ideen oder Philosophien über die Schöpfung, mit dem Ziel, sich bis zu einem lebenden Organismus zu erheben, der durch einen besonderen Prozess mehr und mehr vergeistigt wird, über dessen Schritte jedoch oft zweifelhafte Angaben in der allgemeinen Überlieferung gemacht wurden. Die gegenwärtige Studie wird nach der ontologischen Methode vorgenommen. Wie alles einen allgemeinen **Mittelpunkt** hat, musste man zu Beginn den Ursprung der Dinge und ihrer fortschreitenden Erschaffung nochmal wiederholen. Die Betrachtung dieses großartigen Vorgangs des zusammengesetzten menschlichen Wortes beschäftigt den Bereich unserer Studie. Die traditionelle Überlieferung und die auf Erfahrungen beruhenden Berichte schließen sie ab. Gründe der Rücksicht und der Verschwiegenheit haben die Entstehung eines anderen sechsten Kapitels verhindert, das verlangt hätte, die physikalische Seite

9

dieses Zweiges der Magie hervorzuheben, um vollständig zu sein. Schließlich erübrigt es sich auch zu erwähnen, dass kein Wort durch sein Wesen selbst das Siebente Kapitel verlangt, wenn es zur praktischen Handlung wird.

1. Kapitel

DER LOGOS

Okkultistische Studien – Zusammenfassung der positiven Lehren – Zusammenfassung des Gottesbeweises – Die Dreiheit.

Alles ist in Allem (vgl. Hermes Trimegistios: Wie oben so unten): Dies ist, laut seinem altgriechischen Ausdruck, die absolute Formel der Gesetzmäßigkeit der Übereinstimmungen, der Analogien. Dies ist der Grund dafür, dass derjenige, der danach strebt, die Gnosis [die höhere Kenntnis von Gott] zu erlangen, sein Ziel nicht erreichen kann, bevor er alle Kräfte seines Seins in Einklang mit Gott gebracht hat. (Siehe Hohenstätten: „Das magische Gleichgewicht" und „In Verbindung mit der Gottheit"). Deshalb steht geschrieben:

„Zum Studium hat der Novize eine rituelle Waschung gemäß den Vorschriften gemacht, das Gesicht gen Norden gewandt, dem Heiligen Buch respektvolle Ehrerbietung erwiesen und empfängt seine Lektion bedeckt mit einem reinen Gewand und ist Herr seiner Sinne. Die Lektüre der Veden beginnt und endet wie immer damit, dass er mit Respekt die Füße seines Lehrers berührt: Dass er die Hände aneinandergelegt hat, denn dies ist die Ehrerbietung, wie sie die Heilige Schrift verlangt . . . Dass er zu Beginn wie auch am Ende der Studien der Heiligen Schrift immer die einsilbigen Worte wie AUM ausspricht. (Vgl. „Der Schlüssel zu wahren Quabbalah") Und die, die nicht von diesem Wort berührt sind, hinterlassen keine Spuren im Geiste." (Manava Dharma Shastra, II. 70-73).

Folglich heißt das, dass der Schüler seine körperlichen Kräfte ordne, dass er seinen Geist von den Einflüssen des Fleisches und des Blutes reinige, dass er die Schlange, die sein Herz umschlingt, töte, *„dass er in den Händen seines Meisters sei, wie der Leichnam in den Händen des Totenwäschers (Lebensregel der Sufis)"*.

Wenn die Substanz seiner **drei Ebenen** gereinigt wurde, bis sie zu einem kostbaren Gefäß umgewandelt wurde, worin die spirituelle Flüssigkeit des Lebensgeistes enthalten ist, öffnen die *vier Königreiche* ihre Pforten, um ihn einzuweihen, damit sich die gesamte Natur widerspiegelt in der Reinheit eines kristallklar gewordenen Verstandes und die Abgründe des Seins keine Geheimnisse für ihn sind. Auf diese Weise dem unermesslichen Blendwerk der Wunder der Welt gegenübergestellt, wird die erste Aufgabe des Anwärters der Einweihung sein, sich in der Umgebung dieses Chaos wiederzuerkennen, *„das Scharfsinnige vom Schwerfälligen zu trennen"* – *entspricht dem Lösungsprinzip der Alchemie: „solve et coagula"* – darin eine Ordnung einzubringen, eine allgemeine Einteilung, die er verkünden kann, wenn das Feuer der Gnosis herabkommen wird, um ihn, einen wahrhaftig lebendigen und harmonischen Organismus, zu erleuchten. Bevor der Leser auf die blendende Spitze der Auffassung der Theogonie (Entstehung der Götter) geführt wird, muss ich, um seinem Streben ein Fundament zu geben, versuchen, mit ihm etwas Licht in das Wirrwarr der Naturphänomene zu bringen. Dazu bedienen wir uns der gelehrten Werke von M. Barlet, der die Beobachtungen der positiven Lehren in eine natürliche Abfolge einzuteilen gewusst hat, um dadurch die Schluss-folgerungen aus den Grundsätzen bis hin zu den gleichen Prinzipien der Geheimlehre zu ziehen (siehe „Die freie Schule der hohen Studien"). Hier folgt nun, wie sich dieser tiefgründige Denker dazu äußert:

ZUSAMMENFASSUNG DER TATSACHEN DER POSITIVEN LEHREN:

1. Die positive Lehre, die sich die Suche nach mittelbaren Gründen untersagt, lässt die Natur nicht in allen Details erscheinen, wie das bei einem beweglichen Gegenstand ist. Durch die Physiologie zeigt sie das Leben, wie es sich einfach durch das Spiel der physikalisch-chemischen Kräfte darstellt. Die Psychologie erfordert das Gleiche, wenn sie sich nicht in den positiven Lehren offenbart.
Die Anatomie zeigt, dass die organischen Körper sich nicht von den anorganischen unterscheiden, wohl durch die Proportionen, doch nicht durch die Natur der Elemente.
Die Chemie, bestehend aus der Thermo-Chemie und der Theorie der Atome, reduziert sich bei genauester Analyse auf das Spiel der Kräfte der Physik, das sich auf das höchste Element des sichtbaren Gegenstandes auswirkt.
Die Kräfte der Physik lassen sich alle eins auf das andere zurückführen und dadurch zu einer einzigartigen Kraft, die den Gegenstand durch die Bewegung belebt, zusammenfassen.

2. Die Bewegung selbst vollführt sich nicht laut den Gesetzen der geometrischen Zusammenhänge (oder des dargestellten Raumes) und ebenso wenig durch die Zahl (oder durch die bestimmte oder unbestimmte Zeit).
3. Folglich gipfelt die positive Lehre wie die Spitze einer Pyramide (wobei die Einheit der Naturwissenschaften die Grundlage ist), in dem abstrakten Begriff der Mathematik. Aus der Natur geht dieser Gipfel durch eine Dreiheit hervor:

> *a) Die Kraft;*
> *b) Der Gegenstand (das Atom);*
> *c) Die Bewegung und damit die Erscheinung in Zeit und Raum.*

Diese Entwicklung der Natur unterteilt sich genau in drei Zeitabschnitte, oder drei Ordnungen der verschiedenen Tatsachen, die die Abfolge unserer Lehren laut ihrer Ordnung der Zusammengesetztheit (Einteilung der Positivisten) versorgt, und die der kosmischen Evolution entspricht.
1. Zeitabschnitt: Abstrakte Begriffe der Mathematik: Zeit, Raum, Bewegung.
2. Zeitabschnitt: Verteilung der Kraft auf den Gegenstand der Lehre, Physikalisch-Chemisches, Geologie und die Astronomie miteingeschlossen.
3. Zeitabschnitt: Erscheinung und Entwicklung des Lebens, des Bewusstseins und des Denkens; die Naturwissenschaften, angemessen bezeichnet als Anthropologie und Soziologie.

ZUSAMMENFASSUNG DER GESETZE DER POSITIVEN LEHREN:

1. Die allgemeine Schlussfolgerung der positiven Lehren ist die eines einzigartigen Gegenstandes in unterschiedlichen und veränderlichen Formen, mit einer einzigartigen Kraft in unterschiedlicher Offenbarung und das Eine durch das Andere ersetzbar. Die Veränderlichkeit der Formen und der Kräfte offenbart sich in der Bewegung. Also gibt es drei zugrunde liegende Elemente: Die Materie, die Bewegung, die Kraft.
2. Die Abfolge der Veränderungen ist nicht willkürlich. Betrachtet man die Materie in ihrer Gesamtheit oder in allen Einzelheiten, sieht man sie nach und nach den Zustand der Einheitlichkeit vortäuschen, der Aufteilung (Zusammensetzung der einzelnen Teile mehr oder weniger unabhängig voneinander) und der Zusammenfassung (harmonische Einheit zu ein und demselben Zweck).
Betrachtet man die Kraft, so sieht man sie zunächst verbreitet und latent in

der Materie (wenn gleichartig), noch versammelt in einer unbestimmten Zahl von Wirkungsmittelpunkten, die letztendlich eine völlig individuelle Einheit anstreben. Durch die Wirkung dieser Bewegung sieht man, wie diese Mittelpunkte die aktive Materie abgeben.

Die Sterne formen sich, verdichten sich und bilden sich zur gleichen Zeit aus: Die Erde, das Wasser, die Luft, (der Wasserstoff [die Gase]) und das Feuer (ihre Aura). Infolge dessen:

3. Betrachtet man zu gegebener Zeit (oder wie im Raum) die Materie in drei Bereiche unterteilt, deren Grenzen verwirrend sind:
- die geistige Welt (der aktiven Kräfte), spirituell;
- die verdichtete Welt (der regungslose Materie), materiell;
- die vermittelnde Welt (Übergang von der Trägheit zur Kraft), Welt der Gesetze.

Betrachtet man in ihrem Verlauf oder wie in der Zeit die Natur erscheint, wie die aktive Kraft gefangen in der regungslosen Materie ist (vernebelter Zustand), gefolgt von einem Freiwerden dieser Kraft, die ausströmend, teilweise die Materie während eines unbestimmbaren Zeitraums fortnimmt, eine Umbildung vermittelnd, um mehr und mehr geordnet und zusammengesetzt zu werden.

4. Die allgemeine Bewegung setzt sich aus einer ununterbrochenen Abfolge der teilweise zyklischen oder rhythmischen Bewegung zusammen, dem gleichen Gesetz unterworfen, und wie Enklaven [schließen sie] die eine in die andere [ein]. So geschieht die Bildung des individuellen Lebens (Tiere, Sterne, die Menschheit, etc.).

ERSTE GRUNDSÄTZE DER POSITIVEN LEHREN:

1. Die Natur zeigt uns in ihren zwei Ausformungen deutlich (in den Grenzen unserer Wahrnehmung) eine für unserem Verstand unerreichbare Macht, und gewiss woher die gesamte Umwandlung der Bewegung kommt, wo sie endet und sich in den Ergebnissen des Lebens verliert (siehe „Erste Grundsätze" von H. Spencer, 1. Teil; Hartmann „Die Philosophie des Unbewussten", 1. Teil; Schopenhauer – an verschiedenen Stellen).

Woher kommen die drei Kräfte der Natur nach unserem menschlichen Verständnis:
Das höhere Unverständliche oder Spirituelle (Das Wirkliche).
Das Verständliche oder die natürliche Natur (Phänomen [=Naturerscheinung]).

Das niedere elementare Unbegreifliche (Materie).
*2. Die Natur ist belebt; es gibt eine fortschreitende Bewegung zwischen den Kräften: Der Beweis dafür liegt in der Wirkung des Geistes auf die Materie, in den Naturerscheinungen und im Verlauf der Evolution. Die Wirkung des Geistes auf die Materie hat einen Anfang und ein Ende: Der Anfang erfordert eine Rückbildung oder Abnahme der passiven Kräfte. Das Ende ist die Vereinigung (oder Wiedervereinigung) dieser zwei Kräfte. Die Evolution ist die **Mitte** dazu.*
Dies sind die ersten Begriffe des spirituellen und positiven Pantheismus [Allgottlehre] über Gott (nicht menschenähnlich). Die Dreiheit löst sich durch die Tatsache, dass die Schöpfung ewig ist, in eine Einheit auf. Das Unbegreifliche erscheint also wie eine neutrale Macht, die sich beständig polarisiert (wie ein mathematisches Gesetz, das wirksam wird), durch Ausgehendes, das zu sich zurückkehrt, nachdem es beständig die doppelte Phase der Involution [Verwicklung, Verwirrung] und der Evolution [Entwicklung] zu gehen und zurückzukehren, zu durchlaufen hat."

Dies also sind die Schlussfolgerungen der aufsteigenden experimentellen Methode. Wir werden ihr die Lehren der okkulten Tradition gegenüberstellen. Die Untersuchung dieser Gegenüberstellung wird, so denke ich, hinlänglich bekannt sein, um mich eines detaillierten Kommentars zu entbinden. Die Bemühungen müssen schwierig gewesen sein, weil die größten Genies sich davon abschrecken haben lassen: Man versuchte, sich ein Konzept des Absoluten zu machen, bevor sie das Leben durch sein Ausgehen erkennen konnten. Es gibt unzählige Zitate, die sich um dieses Thema drängen. Tausende Bücher sprechen von diesem Unendlichen: Die Könige, die Veden, die Bibel, die Neu-Platonier und die derzeitigen Monisten haben eine Vielzahl von oberflächlichen Seiten der Erklärung des Unerklärlichen geweiht.

„O naiver Gelehrter! Warum die Trigramme keilförmig aufhäufen, und das Hebräische mit vedischen Charakteren vermengen? Vergeblich hast du die ägyptische Schriftrolle auseinander gerollt, oder hast die verwitterten und gewaltigen Tafeln, bedeckt mit Hymnen voller Metaphern, aufgehäuft. Warum weit entfernt suchen, wenn es sich in deiner Nähe befindet, es in dir selbst ist? Versuche deine Ohren zu verschließen, Deine Seele zu verschließen, den Lärm deiner Gedanken auszulöschen. Vergiss, was du erlebt hast, vergiss, was du gesehen hast, vergiss, was du vergessen hast und verliere sogar die Erinnerung an deinen letzten Willen: Denn nur, in dieser Leere, deren schreckliche Nacktheit es dir unmöglich erscheinen lässt, denn du hast den Begriff des Wirklichen verfälscht, in dieser Leere, sage ich, kannst du den unaussprechlichen Klang des ursprünglichen Nichts hören. Höre, was die Unkenntnis dich lehrt":

„Gott ist das einzige Wesen. Es gibt nichts über ihm, weder nach ihm, wonach er sich richten könnte, noch wonach er einen Willen formen könnte. Er hat auch nichts das gebührt oder gibt. Er ist Nichts und Alles. Er ist ein einziger Wille, durch den das Universum und die gesamte Schöpfung in sich geschlossen ist. Alles ist gleichermaßen ewig, durch ihn, ohne Anfang, und in Gewicht und Maß gleich. Er ist weder Licht, noch Finsternis, weder Liebe, noch Zorn, aber er ist das ewige Eine. Deshalb sagt Moses: Der Herr ist der einzige Gott. (Deut., VI, 4.) (Böhme, Von der Wahl der Gnade, I, § 3.)

Merke: Des Vaters Kraft ist alles in und über allen Himmeln. Und dieselbe Kraft gebärt allenthalben das Licht. Nun ist und heißt dieselbe All-Kraft der Vater. Und das Licht, das aus derselben All-Kraft geboren wird, das ist und heißt der Sohn. Es heißt aber darum der Sohn, dass es aus dem Vater geboren wird, dass es des Vaters Kraft in seinem Herzen enthält. Und wenn es nun geboren ist, so ist es eine andere Person als der Vater, denn der Vater ist die Kraft und das Reich, und der Sohn ist das Licht und der Glanz im Vater. Und der Hl. Geist ist das Wallen oder der Ausgang aus den Kräften des Vaters und des Sohnes und formiert und bildet alles. (Aurora, VII, 25-26.)

Und außerdem:

„Wenn wir von der Heiligen Dreiheit sprechen wollen, müssen wir zunächst sagen, dass es einen Gott gibt: Er heißt der Vater und ist der Schöpfer aller Dinge. Er ist allmächtig: Alles ist sein Eigen, alles kommt von ihm, wird zu ihm zurückkehren und wohnt ihm inne in Ewigkeit. Wir sagen zweitens: Gott ist als Person dreigeteilt und in aller Ewigkeit in der Erscheinung seines Sohns, der sein Herz, sein Licht und seine Liebe ist. Er bildet nicht ein einziges Wesen; und drittens sagt die Schrift [Bibel], dass es einen Heiligen Geist gibt, der aus dem Vater und dem Sohn hervorgegangen ist.

Also: 1. Der Vater ist das Sein allen Seins. Wenn der Ursprung sich nicht durch die Geburt seines Sohns gezeigt hat, wird der Vater zu einem dunklen Abgrund. Du siehst also, dass 2. der Sohn das Herz, die Liebe, das Licht, das wohltätige Handeln und die Milde des Vaters, durch seine Zeugung einem anderen Ursprung entstammt und den jähzornigen und strengen Vater mild und barmherzig stimmt; er hat einen anderen Ursprung als der Vater, denn in seinem Innern gibt es nichts anderes als Freude, Liebe und Heiterkeit. Du siehst ebenso, an dritter Stelle, wie der Heilige Geist aus dem Vater und dem Sohn hervorgeht. Wenn das Licht Gottes aus dem Vater hervorgeht, lässt die Erleuchtung der fünften Form einem liebenswürdigen Geist und einem Wohlgeruch freien Lauf; sie ist es ursprünglich gewesen, die der bittere Antrieb des Vordringens in die Tiefe war; er bestimmte durch die Quelle der Milde die unzähligen Ziele.

Verstehe dies gut: Die Zeugung des Sohns beginnt im Feuer; sie setzt sich im weißen und hellen Licht fort, das Er selbst ist, sie lässt einen Wohlgeruch entstehen und eine sanfte Heiterkeit beim Vater . . .

Aber der Heilige Geist erscheint nicht vor dem Licht, sondern nur wenn die Quelle der Milde sich in dem Licht verbreitet. Er erhebt sich also wie ein mächtiger Geist aus der Quelle der leuchtenden Wasser, von denen er die Macht erhalten hat. Dieses wesentliche und vollkommene Zentrum, von wo das Leben herrührt, beginnt infolgedessen im Herzen des Vaters seine Gestalt anzunehmen. Und der Heilige Geist ist jenes Wesen, das aus der lebendigen Kraft des Vaters und des Sohnes hervorgeht, und das die Entstehung der Dreieinigkeit in Ewigkeit bestätigt." (Drei Prinzipien IV, 58-61.)

Nun merke: Die ganze göttliche Kraft des Vaters spricht aus allen Qualitäten das Wort aus, das ist, der Sohn Gottes. Nun gehet derselbe Schall oder dasselbe Wort, das der Vater spricht, aus des Vaters Salniter oder Kräften und aus des Vaters Mercurius, Schall oder Ton. Nun das spricht der Vater aus ihm selber, und dasselbe Wort ist ja der Glanz aus allen seinen Kräften. Und wenn es ausgesprochen ist, so steckt es nicht mehr in des Vaters Kräften, sondern es schaltet und tönet in dem ganzen Vater wider in allen Kräften. (Aurora, VI, 2.)

Dies ist also, so weit es möglich ist, sich darüber zu äußern über jenes große Geheimnis der Dreieinigkeit. Die treuesten Christen, im Herzen der Völker des Okzidents, vermochten einen Widerhall der einweihenden

Lehren zu geben, die seit Anbeginn der Zeit zu den verborgenen Worten der Lehre zählen, erklingen zu lassen. Eine derartige Verbreitung davon geschah ausgehend vom Orient. Wir finden aber weder in den bekannten Texten der Sanskritbeschreibungen die Dreieinigkeit, noch in irgendeiner Lebensbeschreibung etwas, jedoch mehr über seine potentielle Bewegungslosigkeit (seine Ruhe). Die wahre okkulte Lehre der Inder wurde nämlich nicht schriftlich niedergelegt, sondern in unterirdischen heiligen Räumen gemalt und es gab nur wenige Privilegierte, denen es gestattet war, sie zu ersinnen. Doch zurück zu unserem Thema. Hier folgt im Sinne der äußeren Esoterik, wie die Bücher der Hindus das Prinzip und die Funktion des Wortes charakterisieren:

„Aber Ich bin es, der das Ritual ist; Ich bin das Opfer, die Opferung an die Vorväter, das Heilkraut und das transzendentale Mantram. Ich bin die Butter, das Feuer und die Opferung. Ich bin der Vater des Universums, die Mutter, der Erhalter und der Ahnherr. Ich bin der Gegenstand des Wissens, der Läuternde und die Silbe OM. Ich bin auch der Rig-, der Sama- und der Yajur-Veda. Ich bin das Ziel, der Erhalter, der Meister, der Zeuge, das Reich, die Zuflucht und der liebste Freund. Ich bin die Schöpfung und die Vernichtung, die Grundlage aller Dinge, der Ruheort und der ewige Same.

O Arjuna, Ich sorge für Hitze, Regen und Dürre. Ich bin die Unsterblichkeit, und Ich bin auch der personifizierte Tod. Sowohl Sein als auch Nichtsein sind in Mir." *(Bhagavat Gita, IX, 16-19.)*

Ich halte mich nicht damit auf, die Übereinstimmungen der zwei Lehren hervorzuheben, denn es gibt einen der überzeugendsten Beweise zugunsten der Einheit der Überlieferung: Einen Beweis, den zahlreiche Gelehrte übrigens mit Sachkunde belegt haben. Worauf es an dieser Stelle wichtig ist hinzuweisen, ist die Rolle eines Wortes wie Seele, welche gefestigt ist inmitten der vor-schöpfungsgeschichtlichen Vorstellung. Malfatti von Montereggio hat verständlich und bewundernswert die Rolle in der „Mathese" hervorgehoben, was es in der Allgemeinheit der mayavistischen [=trügerischen] Verwirklichung bedeutet – denn die Worte selbst tragen ihren Grund zu sein bei – bezeichnet durch das **viergeteilte** Siegel, so wie es der unbekannte Philosoph ausdrückt. Also ist es auch in der vorliegenden Studie, die sich völlig dem **Wort** widmet, das organische Leben der aus der Dreiheit bestehenden Grundordnung, auf das sich unsere gesamte

Aufmerksamkeit, die unser Verstehen an dieses Verfahren anpasst, konzentriert. Das Wort ist der ewige Wille Gottes. Es ist der brennende Atem der Liebe, die sich in der Heiligen Dreieinigkeit Sohn Gottes nennt. Durch ihn ist Christus geboren, denn er ist die Quelle, das Leben und der Ursprung aller Dinge. Sichtbar durch die Erscheinung der Dinge ist er die Natur, er ist der Mensch, bei dem er zum würdigen Tempel des einzigen Gottes wird. Er selbst ist der Schlüssel, der dieses Heiligtum öffnet. Er ist das heilige Wort, bei dessen Klang alle Schleier der Ewigen Natur in Liebe und in Zorn fallen. Es ist also, wie es geschrieben steht: *„Im Ursprung war das Wort, und das Wort war in Gott und das Wort war Gott: So kam es von Gott. Alle Dinge sind durch Ihn geworden, und nichts, das existiert, wäre ohne Ihn geschaffen worden."* *(Johannes, I, 1-3.)*

Das Wort ist also durch den Willen Gottes ausgeströmt. Es ist der Ausdruck der göttlichen Einheit. Dadurch wird die Macht Gottes an den Begriff von „etwas" herangeführt, doch man muss von da an sofort eine notwendige Unterscheidung festlegen.

„Das gesprochene Wort, das die wesentliche Natur und die äußere Natur meint, der Geist des Menschen und der Geist der Elemente, und was sich im Zorn und in der Liebe äußert, ist fähig zu Veränderungen. Doch das gesprochene Wort, das der Brust des Ersten innewohnt, ist unwandelbar, denn es verbleibt in der ewigen Erzeugung. Es ist geboren, und wird von Ewigkeit zu Ewigkeit immer wieder geboren. Der Mensch besitzt es nicht in seiner Urform, das vollendete Wesen kann sich daran nur erfreuen." *(J. Böhme, Gegen Stiefel, XVI, 97.)*

„Die sechste Macht der Natur ist dies spirituelle ausgesprochene Wort, da das gesprochene Wort das ewige Wort ist; das Wort ist im ersten Eindruck im Innersten der Finsternis, der Zorn Gottes, und in der äußeren Welt, der verderbende Merkur, als Ursache allen Lebens und allen Widerhalls." *(Id. Signatura rerum, XIV, 62.)*

„Es ist diese Macht, die Stimme des göttlichen widerhallenden Wortes, mit dem Wunsch nach Liebe, und der Ordnung der gesamten göttlichen Kräfte für die Äußerung der Erschaffung und des himmlischen Glücks." *(Myst. Magnum, VI, 19.)*

„Die spirituelle Welt hat an sich einen ewigen Anfang, und die äußere Welt einen zeitlichen Anfang; doch das ständig tätige Wort herrscht über alles und ist weder durch das Spirituelle, noch durch das Zeitliche zu verstehen, außer in seiner Wirkung. Denn Er ist nun das erschaffene Wort, und das wirksame Wort ist sein Leben, äußerlich für alle Wesen, wie eine Fassungskraft oder eine Macht, die in das Sein eindringt." (Id., III, 10.)

„Die vollkommene Schöpfung ist also das gesprochene Wort Gottes, mit welchem das lebendige Wort gemeint ist, das Gott selbst ist; und dieses gesprochene Wort äußert sich in der Natur durch einen Spiritus Mundi [allgegenwärtigen Geist], der die Seele der Schöpfung ist" (Von der Wahl der Gnade, V.15).

Dies ist der erste Abschnitt einer göttlichen Offenbarung. Das Sein hat das Erste nicht außerhalb des Absoluten geschaffen, die Jungfrau hat ohne Sünde empfangen, . . . doch ohne der Geschichte dieser *unendlichen Entwicklung* vorzugreifen, beschränken wir uns darauf, die Möglichkeiten des Wortes aufzuzählen.

„Die gesamte Schöpfung des Seins und der Kreaturen, ewig wie auch zeitlich, ist in dem Wort der göttlichen Macht enthalten. Das ewige Sein leitet seinen Ursprung oder Grundsatz von dem Wissen oder dem Wunsch des Wortes her, was heißen soll, der alleinige und erste Wille der unergründlichen Unermesslichkeit, welche durch den Wunsch in jedes besondere Wesen eindringt. Die zeitlichen Wesen leiten ihren Ursprung von dem geschaffenen und ausgesprochenen Wort ab, was heißen soll, durch die Ähnlichkeit oder die bildliche Darstellung der Ewigkeit, in welcher das ausgesprochene Wort wieder eindringt, wie in einem Spiegel, um sich zu betrachten." (Von der Wahl der Gnade, IV, 3-5.)

Krishna äußert sich in einer ähnlichen Art, um seinen Schüler einzuführen:
„Ich bin es, erschienen in einer umsichtbaren Gestalt, der dieses Universum erschaffen hat; alle Wesen sind ein Teil von mir, doch ich bin nicht ein Teil von ihnen. Anders ausgedrückt, die Wesen sind also nicht von mir: Dies ist das Geheimnis der höchsten Einheit. Meine Seele ist die Stütze der Wesen und, ohne ein Teil von ihnen zu sein, ist sie es, die ihr Sein ist.
Wie in der Luft ein stark wehend Wind wohnt, unaufhörlich von allen

Seiten, genauso wohnen mir alle Wesen inne: Verstehe ihn, den Sohn des
Kunti. Am Ende der Kalpa kehren die Wesen zurück in meine schöpferische
Macht. Am Beginn der Kalpa entsende ich sie erneut.
Unabänderlich in meiner schöpferischen Macht, erschaffe ich also in
Intervallen all jene Gesamtheit von Wesen, ohne dass sie es wollen und
durch die alleinige Kraft meines Erscheinens. Und diese Werke trage ich
nicht mit mir fort: Ich bin unter ihnen und nicht in ihrer Abhängigkeit."
(Bhagavat Gita, IX, 4 bis 9.)

Dies ist die Grundlage der erhabenen Lehre der Einheit *(Yoga)*, der
Entsagung der Frucht der Werke. Die Inder sind das einzige Volk, das es
gewagt hat, dies zu erklären und es in der traditionellen Sphäre zu lehren.
Die okzidentale Esoterik enthält sich bei uns im Verstand, denn die
Anpassung hat man bei uns gar nicht gemacht. Hier wie sie sich in der
Fassungskraft festigen kann (-) bevor ihre Funktion vergeht (+):

„Die gesamte Schöpfung, alle Himmel des Himmels, ebenso wie die Welt,
die im Innern des Kosmos sind, ebenso wie der Himmel der Erde und all
seiner Kreaturen, all diese, die du sehen und begreifen willst, alle jene
zusammen sind Gott der Vater, der weder Anfang noch Ende hat; und wo
du deine Blicke schweifen lassen kannst, in der sehr kleinen Sphäre, die du
überblicken kannst, findet sich die ganze Schöpfung Gottes, vollständig,
unerbittlich, unwiderstehlich.
Die strenge Schöpfung, die im Innersten des Kerns allen Lichts liegt, ist
überall da, wo du eine Kreatur siehst oder einen Ort, dessen ihm
gegebenes Licht erlischt. Doch dies ist nur ein Teil.
Der andere Teil oder die andere Person ist das Licht, das unaufhörlich
durch all die Kräfte entfacht wird, das sie erleuchtet und das ihre Quelle
ist.
Das ist der Grund dafür, dass er durch den Vater gesprochen hat, und dass
dieses Licht nicht verstanden wird, durch die Schöpfung des Vaters, da es
jedoch unaufhörlich als der Sohn zu verstehen ist: Du findest ein Beispiel
für dies in den sekundären Feuern dieser Welt: Beziehe dieses Thema auf
alle Betrachtungen.
Und der Vater liebt diesen Sohn um so mehr, weil Er das Licht und die
heilige Milde ist, durch die Kraft, durch die sich der Ruhm des Vaters
vermehrt.
Doch es gibt dort nicht nur zwei Personen. Der eine ist so großartig wie

der andere, und ihre Existenz ist aneinander gebunden.

Die dritte Unterscheidung oder die dritte Person in Gott ist der Geist, der sich in einem Wirbel erhebt, in dem sich das Leben ausformt. Er wirkt in allen Kräften, er ist der Geist des Lebens, und die Kräfte können ihn nicht wieder ergreifen, ohne dass er sie entzündet und dass er durch seinen Wirbel Gestalten und Bilder formt an jeder Stelle, außer dem Ort der schmerzhaften um sich greifenden Zeugung.

Wenn du nicht blind bleiben willst, musst du wissen, dass die Luft die der Geist ist, aber an der Stelle dieser Welt, wird die Natur ganz und gar durch das Feuer des Zorns, dessen Innerstes Luzifer ist, verschlungen; und der Heilige Geist, der Geist der Milde, muss in seinem Himmel gefangen bleiben.

Frage nicht, wo dieser Himmel ist, denn er ist in deinem Herzen; öffne sein Tor mit dem Schlüssel, der dir hier gezeigt wird.

Also gibt es einen Gott und drei verschiedene Personen in ihm, und keine von ihnen kann den anderen fassen oder beschränken, oder seine Entstehung durchschauen. Doch der Vater erzeugt den Sohn, und der Sohn ist das Herz des Vaters, seine Liebe und sein Licht, der Ursprung der Freuden und der Beginn allen Lebens.

Und der Heilige Geist ist der Geist des Lebens, der Gestalter und Erzeuger der Dinge und der Gesandte des Willens Gottes. Er hat in der Gestalt Gottes die Engel und die Kreaturen geschaffen, er äußert sich durch die Übereinstimmung." (Aurora, XXIII, 61-73.)

Die Schlussfolgerung, die sich natürlich aufdrängt, ist, dass einige der Meister es am „großen Tag" erzeugt haben. Hier folgt, wie Gott Krishna es ausdrückt:

„Und ich lehr Dich, jene, die sich zu mir flüchten, und in mir die Befreiung von Alter und Tod suchen, kennen Gott, die höchste Seele und die Tat (Karma) in ihrer höchsten Fülle. Und jene, die wissen, dass ich das erste Lebende bin, die erste Gottheit und der erste Geopferte, jene kennen mich noch am gleichen Tag des Aufbruchs, mir gleich in all ihren Gedanken." (Bhagavat Gita, VII, 29, 30.)

2. Kapitel

DIE HERVORBRINGUNG DES LOGOS

Die Dreieinigkeit. Ihre drei Personifikationen. Verlauf der aus drei vorentwicklungsgeschichtlichen Einheiten. Die sieben Kräfte der Natur.

Die Hervorbringung des Logos

Ausgehend von der Zeit vor der Entwicklungsgeschichte [Prägenesis], gelangen wir zu dem, was der vedische Monismus [Weltanschauung] das Irreale nennt. Wir haben die göttliche Verkörperung zu studieren, die Inkarnation Krishnas im Schoße Mayas, und die erste Zeit seines Werdens, sozusagen den Vorgang der sexuellen Polarisation, die das göttliche Kind in der zweiten Offenbarung im Bereich zwischen Tod und Leben erleiden muss. Böhme wird auch hier unser Führer auf dieser transzendenten Suche

23

sein:

„Der allererste und einzige Wille, der keinen Anfang hat, ist weder gut noch schlecht, erzeugt sich selbst, das einzige Höchste und Ewig Gute; sozusagen ein begreiflicher Wille, welcher auf ewig sein Sohn ist, der ebenso ewig ist wie der einzige und alleinige Wille, der keinen Anfang hat. Dieser zweite Wille auf ewig, der Sohn, ist die Sensibilität oder das Verstehen des allerersten und unverständlichen Willens, wo das Ewige Nichts sich in sich selbst befindet; und das, was unauffindbar und unbegreiflich ist (sozusagen der einzige und erste Wille), rührt von etwas Ewigem her, gefunden in sich selbst und was sich sofort in eine ewige Betrachtung von sich selbst aufnehmen lässt, durch seine Weisheit: Der Heilige Geist. Es ist also:

1. *Der tiefe Wille nennt sich Ewiger Vater. Es ist*
2. *der versammelte Wille, gefunden und erzeugt durch den ersten Willen, nennt sich und ist sein Sohn, einzigartig gezeugt. Es ist*
3. *das, was von dem tiefen Willen (Vater) herrührt, durch den einzigen Sohn, versammelt und erzeugt, oder durch das göttliche Wesen, das da heißt und ist der Heilige Geist; denn er geht von Ihm aus, das versammelte göttliche Wesen, eine Bewegung in der Lebenskraft des ewigen und ersten Willens erzeugend, ein Leben von Vater und Sohn. Es ist*
4. *das, was versammelt ist, die höchste Stufe des Verlangens, die Fülle der Freude und die Vervollkommnung des Ewigen Nichts; sozusagen das, was man durch Ihn gefunden hat: Den Vater, den Sohn und den Heiligen Geist.*

Und das, was man in der Ewigkeit sieht oder was sich entwickelt, nennt man die Betrachtung oder die ewige göttliche Weisheit (Sophia).

Dieses Höchste Wesen, in der Dreieinigkeit verbunden, bleibt, in aller Ewigkeit durch seine Entstehung, seine Betrachtung und durch seine Weisheit, es hat keinen Ursprung, keinen Raum, keinen Ort Seiner selbst.

Es ist ein einzigartiger Wille, ein Leben, eine Bewegung ohne Verlangen. Es hat weder Dichte noch Feinheit, weder Höhe noch Tiefe, weder Raum noch Grenze und Zeit; obgleich er jedoch im Allgemeinen überall ist, ist er doch wie ein Nichts unverständlich und unbegreiflich.

So, wie das Licht der Sonne auf alles herab strahlt, Einfluss auf alles hat, und wie jedoch alles, was sie empfängt, von diesem Licht nicht verringert werden kann, auch nicht von seiner Wonne, so stehen doch die Dinge unter diesem Einfluss, um zu leben und sich davon zu nähren.

So haben wir den ewigen Gott an sich zu betrachten, außerhalb der Natur und der Kreatur, im Chaos, in seiner eigenen Versammeltheit, in seiner Weisheit, außerhalb seines Prinzips, allen Ursprungs, aller Zeiten und Orte.

Dieses ewige Nichts versammelt sich durch seine eigene Sichtweise, durch seine eigene ewige Sicht [auf sich selbst]. So ist Seine Betrachtung, Seine Weisheit, Sein Verstehen; so, wie man nicht sagen kann, es gäbe einen Gott mit zwei Kräften, einen wohlwollenden und einen unheilvollen.

Wenn man das Göttliche außerhalb der Natur und außerhalb der Kreatur betrachtet, findet man nichts anderes als den alleinigen und einzigartigen Willen, der ist und sich bezeichnet als der einzige Gott.

Dieser ewige Wille verlangt nicht mehr als sich in sich selbst zu versammeln, sich selbst zu finden, von sich selbst auszugehen, und sich selbst in seiner Betrachtung seiner selbst erkennt, die Seine unendliche Weisheit ist.

In dieser Betrachtung kann man eine rechte Vorstellung der Dreieinigkeit erkennbar machen. Sie ist der Spiegel, in dem Gott sich betrachtet, die Weisheit, in der er sich zeigt und sich selbst darstellt, sich selbst, durch seinen wirklichen Anblick.

All diese Kräfte, all diese Tugenden, all diese Färbungen, all diese Wunder, all diese Wesen sind enthalten in dieser einzigartigen göttlichen Weisheit, doch sie befinden sich dort mit dem gleichen Maß, mit dem gleichen Gewicht, und ohne jegliche Berechtigung oder Besitz.

Sie ist das einzige und der erste Ursprung des Seins, ein Wunsch, ein in sich selbst gefundener Genuss etwas zu entwickeln [=hervorzubringen]. Es ist ein sanftes Verlangen, die Berechtigungen und die Besitztümer zu finden, hervorzubringen und kundzutun.

Dieses Verlangen nach der göttlichen Weisheit ist jedoch in sich selbst ohne jede Berechtigung, ohne jeden Besitz, denn es gab Berechtigungen und Besitztümer darin, in ihrem Ursprung, die dort sind, wofür es ein Ursache dafür gibt.

Jedoch gibt es keine Ursache, die die Kräfte, die Tugenden, die Weisheit und die göttlichen Genüsse hervorbrachte. Der einzige Wille, einzigartig und ewig, der einzige Gott brachte sie selbst hervor, aufgenommen in eine Dreieinigkeit, wie in einer Zusammenfassung seiner selbst. (J. Böhme, Von

25

der Wahl der Gnade, I, 3 bis 10.)

Dieses Quartär setzt sich wie folgt zusammen:

„Man sagt von Gott: Er ist Vater, Sohn und Heiliger Geist; dies muss erklärt werden, ohne solche Einsicht kann nichts davon verstanden werden. Der Vater ist zu allererst der Wille in dem tiefen Abgrund, Er ist außerhalb aller Natur, oder jeder eigensinnigen Behauptung eines „Ichs"; er erscheint durch einen Hauch, um sich aus sich selbst zu erheben.
Und dieser Hauch ist der Wille oder die Kraft – ersonnen durch den Vater; er ist Sein Sohn, sein Herz und sein Sitz: Die erste Regung des Willens; Er wird Sohn genannt, weil er im Willen einen Anfang hat, ebenso ewig wie das Bewusstsein dieses Willens.
Der Wille drückt sich in dem Bewusstsein aus, wie ein Atem oder eine Offenbarung und diese Äußerung des Willens durch das Wort oder durch die Buße ist der Geist Gottes, oder die dritte Personifizierung, die Alten, wie man sie nennt.
Und das, was sich äußert, ist die Weisheit, wie eine Kraft des Klangs und der Tugend des Willens, der diese Letztere, in einer Lebensmitte, die an einem dafür geeigneten Ort ist, auf ewig empfängt, um es alsbald in seiner ewiglichen Form zu äußern, und diesen unaufhörlichen Ablauf erneut beginnt. (Mysterium Magnum, VII, 7 bis 9.)

In diesem lebendigen Verstand oder vielmehr Gehirn Gottes schreiten die verborgenen Kräfte fort, sich in Unendlichkeit zu entwickeln. All diese Gotteslehren bedürfen der Erwähnung der sieben enthaltenden Schöpfer, wovon die sieben hinduistischen Rishis der Ausgangspunkt in den götterverehrenden Hieroglyphen sind. Der Anfang der höchsten Zeichen der ionischen Mysterien, die letzte Verhüllung der großen Isis, für die ein wenig Hilfe nötig ist, um sie zu entschlüsseln. Hier ist die Schilderung der Erzeugung der sieben Leiden:

„Nun merke: Wenn der Blitz im Zentrum aufgehet, so stehet die göttliche Geburt in voller Wirkung. In Gott ist es immer und ewig so, aber in uns armen Fleischeskindern nicht. In diesem Leben währet die triumphierende göttliche Geburt in uns Menschen nur solange, als der Blitz wäret. Darum ist unsere Erkenntnis stückweise. In Gott aber stehet der Blitz unveränderlich immer und ewig.

Siehe, es werden alle sieben Geister Gottes zugleich geboren. Keiner ist der erste und keiner ist der letzte. Aber man muss auf den Kern sehen, wie die göttliche Geburt aufgehet, sonst verstehet man's nicht, denn alle sieben ineinander zugleich können die Kreaturen nicht begreifen, sondern sie schauen sie an. Wenn aber ein Geist geregt wird, so reget er die andern alle, so stehet die Geburt in voller Kraft. Darum hats im Menschen einen Anfang, und in Gott keinen. Darum muss ichs auch nur auf kreatürliche Weise schreiben, sonst verstehest du nichts.

Siehe, alle sieben Quellgeister wären außer dem Blitz ein finster Tal. Wenn aber der Blitz zwischen der herben und bittern Qualität in der Hitze aufgehet, so wird er im süßen Wasser scheinend und in der Hitze Flammen bitter und triumphierend und lebendig, und in der herben körperlich, trocken und helle.

Nun bewegen sich alle diese vier Geister in dem Blitze, denn sie werden alle vier darinnen lebendig. Nun steiget diese 4. Kraft in dem Blitze auf, als wie das Leben aufginge. Und die aufgestiegene Kraft in dem Blitze ist die Liebe, das ist der fünfte Geist. Dieselbe Kraft wallet so lieblich in dem Blitze, als wenn ein toter Geist lebendig würde und würde urplötzlich in große Klarheit gesetzet.

Nun in diesem Wallen regt eine Kraft die andere. Erstlich pocht die Herbe, und die Hitze macht in dem Pochen einen hellen Klang, und die bittere Kraft zerteilet den Klang, und das Wasser macht ihn sanft. Das ist der sechste Geist.

Nun gehet der Ton in allen fünf Geistern auf gleich einer lieblichen Musica, und bleibet bestehen, denn die herbe Qualität vertrocknet ihn. Nun ist in demselben ausgegangenen Schalle, der nun trocken besteht, aller sechs Quellgeister Kraft und ist gleich wie der Same der andern sechs Geister, den sie allda zusammen korporiert haben und einen Geist daraus gemacht. Der hat aller Geister Qualität, und das ist der siebente Geist Gottes in der göttlichen Kraft.

Nun dieser Geist besteht in seiner Farbe gleich dem Himmelblau, denn er ist aus allen sechs Geistern geboren. Wenn nun der Blitz, der inmitten in der Hitze bestehet, in die andern Geister leuchtet, dass sie im Blitze aufsteigen und den siebenten Geist gebären, so steiget auch der Blitz in der Geburt der sechs Geister mit auf in den siebenten.

Weil aber der siebente keine sonderliche Qualität in sich hat, so kann der Blitz in dem siebten nicht heller werden, sondern er fänget von dem siebenten das körperliche Wesen aller sieben Geister, und der Blitz stehet

27

inmitten zwischen diesen sieben Geistern und wird von allen sieben geboren. Und die sieben Geister sind des Lichtes Vater, und das Licht ist ihr Sohn, den sie von Ewigkeit zu Ewigkeit immer also gebären. Und das Licht erleuchtet und macht immer und ewig die sieben Geister lebendig und freudenreich. Denn sie sehen alle ihr Aufsteigen und Leben in Kraft des Lichtes. Hingegen gebären sie alle das Licht und sind alle zugleich des Lichtes Vater. Und das Licht gebäret keinen Geist, sondern macht sie alle lebendig und an Freuden reich, dass sie immer in der Geburt stehen."
(Aurora, XI, 5 bis 13.)

Jacob Böhme liefert uns eine andere Erklärung des gleichen Vorgangs. Wir beschreiben seine Vorstellungen aus Gründen der Wichtigkeit:

„Die herbe Qualität ist der erste Geist, sie zeucht zusammen und macht alles trocken. Die süße Qualität ist der andere Geist, die besänftigt es. Nun ist der dritte Geist der bittere Geist, der entsteht aus dem vierten und ersten. Wenn sich nun der dritte Geist mit seinem Wüten im herben reibet, so zündet er das Feuer an, so gehet die Grimmigkeit im Feuer auf in der herben Qualität. In derselben Grimmigkeit wird der bittere Geist selbständig, und in der süßen wird er sanft, und in der harten körperlich. Nun bestehet er und auch der vierte.
Nun gehet der Blitz in Kraft dieser vier auf in der Hitze und steiget im süßen Quellwasser auf, und die bittere macht ihn triumphierend, und die herbe macht ihn scheinend und trocken und körperlich, und die süße macht ihn sanft und nimmt seinen ersten Schein in der süßen. Nun da bestehet der Blitz oder das Licht in der Mitten als ein Herze. Wenn nun dasselbe Licht, das in der Mitten steht, in die vier Geister scheinet, so steigen der vier Geister Kräfte im Licht auf und werden lebendig und lieben das Licht, das ist: Sie fassens in sich und sind des schwanger. Und derselbe angefasste Geist ist die Liebe des Lebens; das ist der fünfte Geist.
Nun wenn sie die Liebe in sich gefasset haben, so qualifizieren sie vor großer Freude. Denn es siehet einer den andern im Licht, und reget einer den andern. Alsdann gehet auf der Ton: Der harte Geist pochet, der süße macht das Pochen sanft, der bittere zerscheidet es nach jeder Qualität Art, der vierte macht den Klang, der fünfte macht die Freuden reich, und dies zusammenkorporierte Tönen ist der Ton oder der sechste Geist.
In diesem Tönen gehet auf aller sechs Geister Kraft. Und wird ein begreiflicher Corpus nach englischer Art zu reden, und bestehet in Kraft der

andern sechs Geister und in dem Licht. Und das ist der Corpus der Natur, darinnen alle himmlischen Kreaturen und Figuren und Gewächse gebildet werden.

Die heiligen Pforten: Das Licht aber, das inmitten in allen sieben Geistern bestehet und darinnen aller sieben Geister Leben stehet und dadurch sie alle sieben triumphieren und freudenreich werden, darinnen das himmlische Freudenreich aufgehet, das alle sieben Geister gebären und das aller sieben Geister Sohn ist, und die sieben Geister sind sein Vater, die das Licht gebären. Und das Licht gebäret ihnen das Leben, und das Licht ist der sieben Geister Herze. Und dieses Licht ist der wahrhaftige Sohn Gottes, den wir Christen anbeten und ehren als die andere Person in der hl. Dreifaltigkeit.

Und die sieben Geister Gottes sind alle zusammen Gott der Vater, denn es ist kein Geist außer dem andern, sondern sie gebären alle sieben einer den andern. So einer nicht wäre, so wäre der andere auch nicht. Das Licht aber ist eine andere Person, denn es wird aus den sieben Geistern immer geboren, und die sieben Geister steigen immer aus dem Lichte auf, und die Kräfte dieser sieben Geister gehen immer im Glanze des Lichtes aus den sieben Naturgeist und formen und bilden alles in dem siebenten Geiste, und dieser Ausgang im Licht ist der Hl. Geist. Der Blitz oder der Stock oder Herze, das in den Kräften geboren wird, der bleibet inmitten stehen, und das ist der Sohn. Und der Glanz in aller Kraft gehet vom Vater und Sohne aus in alle Kräfte des Vaters und formet und bildet in dem siebenten Naturgeiste alles nach der Kraft und Wirkung der sieben Geister und nach ihrem Unterschied und Trieb. Und das ist der wahrhaftige Hl. Geist."
(Aurora, XI, 15 bis 21.)

Wir haben bereits einen Überblick über die Fragestellung. Wiederholen wir diese „theoretische Übung" mit einigen zusätzlichen Details, betreten wir also das Herz unseres Themas, gehen wir dorthin, um den unbekannten Ausgangspunkt der gegensätzlichen philosophischen Systeme aufzudecken und um vor allem die Vorstellung des Vorgangs der Werdung des Wortes zu finden. Moses sagt: *„Jenes sei, und jenes war."* (Genesis, I, 3); er sagt auch: *„Im Ursprung erschuf Gott den Himmel und die Erde."* (Genesis, 1,1; Johannes, I, 2): *„Gott tat dies alles durch sein Wort."*

„Das ist es, was das Fundament und der tiefere Sinn des Wissen einschließt; denn in aller Ewigkeit ist dort kein anderer Gott, in Seiner

Dreieinigkeit, in Seiner Weisheit und in Seiner Vergeistigung. In dieser Weisheit ist nichts als das Wissen oder der Wunsch, sozusagen das Wort, der Ausdruck, das Ausströmen, die Ausatmung, die Vereinigung, das Fortschreiten, die Anziehung, die Bildung, die Einleitung in die Eigenschaften und in die Eigentümlichkeiten.

Durch die Vereinigung oder die Anziehung ist das Wort „erschafft worden"; solches ist das Wissen; anders ausgedrückt, ist der Wunsch der Anfang der Bewegung, der Trennung oder der Teilung der göttlichen Stimmung, denn das ganze Fundament der Schöpfung ist eingeschlossen in diesen Worten: Gott erschafft durch das Wort. (siehe „Der Schlüssel zur wahren Quabbalah" von Franz Bardon)

Das Wort oder der Ausdruck bleibt bei Gott, und geht von ihm aus durch das Wissen oder den Wunsch. Wir können uns diese Trennung wie folgt vorstellen:

Das Wissen oder der Wunsch ist auf ewig in dem Wort; denn Es hat seinen Ursprung im ewigen tiefen Willen. Das Wissen oder der Wunsch in dem Wort ist Gott, und in der Teilung, der Vereinigung und der Anziehung der Kräfte, ist Er der Ausgangspunkt der Bildung der Natur.

Man muss vorläufig betrachten, dass die sieben notwendigen Wirkungen, untrennbar von der Bewegung sind, oder die sieben Eigenschaften der Natur unauflösbar in der Natur und ihrer Bewegung; es gibt dort wahrhaftig weder eine erste, noch eine zweite, noch eine dritte Wirkung; es bedarf aller sieben zur gleichen Zeit, eine augenblickliche Bewegung, gleichzeitig, wie die des Denkens. Man gibt ihnen hier nicht den Verlauf der Zahlen eins, zwei, drei, usw., außer, um den Sinn dieses Verlaufs in der Natur auszudrücken. Die sieben Wirkungen sind zudem völlig spirituell in der Ewigen Natur, und sie sind nicht greifbar und materiell in der temporären Natur.

Die erste Eigenschaft, die erste Bildung oder Erscheinung der Natur ist rau, sozusagen ist sie die Vereinigung oder Anziehung ihrer selbst. Die Erscheinungen oder die Wirkungen, die aus dieser Anziehung notwendigerweise resultieren, sind die folgenden:

1. Die Finsternisse: Denn die Vereinigung oder Anziehung seiner selbst im Dunklen des freien Willens und ihn zu ersetzen, von so trübem und finsterem Sagen durch das Wissen oder den anziehenden Wunsch.

2. Die Festigkeit oder die Dichtigkeit: Denn das, was angezogen wird, ist fest und hart, wobei man dies nicht im spirituellen Sinne in Ewigkeit verstehen darf.

3. Die Bitterkeit.
4. Die Kälte: Sozusagen die Eigentümlichkeit des kalten Feuers.
5. Letztendlich ist diese Eigenschaft die Ursache allen Seins, aller Realität, oder aller sinnlichen Fühlbarkeit. Sie ist, im Mysterium Magnum, die Mutter aller Salze, der Ursprung der Natur. Sie ist eine spirituelle Bitterkeit, die Quelle oder das Prinzip des göttlichen Zorns, also ist sie die Quelle der Freude und der vollkommenen Glückseligkeit in der göttlichen Stimmung.

Die zweite Bildung oder die zweite notwendige Wirkung der Bewegung der Natur in dem Wissen oder in dem anziehenden Wunsch ist die Heftigkeit der Sinnlichkeit, mittels dergleichen Anziehung; durch die Geburt der Sinnlichkeit, die Empfindung und das Gefühl.

Vermehrte Rauheit prägt sich ein, vermehrter Antrieb der Anziehung wird beißend und lebendig, erzeugt eine Trübheit, eine Wut, eine umwälzende und zerstörerische Macht.

Seine Teilung in verschiedene Formen äußert sich wie folgt: Eine bittere, mühselige, schmerzvolle, beunruhigende Empfindung erzeugt sich zunächst in einem beginnenden Willen, gegensätzlich zu jenem der göttlichen Stimmung: Das ist eine Ursache der Bewegung und des spirituellen Lebens.

Diese Eigenschaft ist der Vater oder das Prinzip des quecksilberhaltigen Lebens unter den Pflanzen und den Tieren; sie ist die Ursache der Schnelligkeit der Sinne, die eine Sache um die andere wollen, um es so zu sagen; sie ist auch die Ursache der lauten Freude in dem Licht, wie die feindlichen Gegensätze in der beeindruckenden Kraft der Festigkeit: Daraus geboren sind der Missklang und der wahre Wille und einander gegensätzlich. Die dritte Eigenschaft der Natur in dem Wissen oder dem Wunsch ist die Angst, geboren aus der Gegensätzlichkeit, der Rauheit und der Schmerzhaftigkeit der zweiten Eigenschaft. Sie bildet sich als ein Wesen der Empfindung und des Gefühls, Beginn der Kenntnis. Sie ist der Ursprung des Feuers, Prinzip aller Schmerzhaftigkeit, außerdem ist die ein glühender Hunger und Durst danach, die erste Freiheit wieder zu erlangen; sie ist auch noch eine Manifestation des ewigen Willens in dem Wunsch, worin sich dieser Wille zeigt gemäß der spirituellen Formen; sie ist die Geburt und der Tod, jedoch erzeugt sie keinen wahren Tod, jedoch vielmehr den Beginn des Lebens der Natur. Sie ist dann noch die Quelle, der Ursprung, das gleiche Prinzip, worin sich die Erscheinung Gottes und der Natur zeigt. Es ist nicht so, als ob es eine Unterteilung gäbe: Es

31

handelt sich einfach um den Wink des sinnlichen Lebens und zusammengefasst, wie es in der dritten Eigenschaft erzeugt wird.

Diese drei Eigenschaften haben ihren Ursprung in der Dreieinigkeit; sie sind die Manifestation der Kraft Gottes durch sein Wort; das bedeutet, dass sie den Charakter jeder der korrespondierenden Personifizierungen der Dreieinigkeit ausmacht, die sich in dem Wort wiederfindet.

Diese drei ersten Wirkungen der Bewegung der Natur nennt man Salz, Schwefel und Merkur. (J. Böhme, Von der Wahl der Gnade, 11.1-11.)

Hier folgt, wie die Anhänger des Vedanta die vierte Form der Natur beschreiben:

„Maya, durch die das gesamte Universum erzeugt wurde, die die höchste beherrschende Kraft inne hat, als nicht-manifestiert bezeichnet (die ursprüngliche Substanz), und die das Unbekannte ohne Beginn überragt, muss wiedererkannt werden durch den Wissenden, durch das Mittel seines Ziels, der Weisheit . . .

Diese Maya ist weder das Sein, noch das Nicht-Sein, noch das Wesen dieser beiden; sie ist weder die Unterscheidung, noch die Nicht-Unterscheidung, noch das Wesen dieser beiden; sie ist in ihrer Gestalt die Wunderbarste und die Unbeschreiblichste. Dies kann nur von der Werdung des einzigartigen Brahma übertroffen werden (Sri Sankaratcharya: Viveka Tchintamani, 110-112.)

Dieses Bild der Maya ist die Grundlage der nicht-dualistischen *(Advaita)* in der *Aryavarta*. In diesen Lehren existiert nur das Absolute und Maya ist ganz das Bedingte, *„das, was nicht existiert"*, *„das, was weder das Sein ist, noch das Geborene, weder das eine noch das andere"*.

Die natürliche Handlung des Absoluten genannt *Brahma*, unterteilt sich in Einheiten, die in dem Moment seiner Selbstverwirklichung zu ihm zurückführen, welche *Maya* ist. Das Individuum ist eine Illusion. Es ist das Individuum, das sich selbst erkennt, denn in der Wahrnehmung wird das Individuum nicht zur Sache seiner eigenen Gestalt, durch die es präsentiert wird, sondern die wahre Substanz der Sache, wenn sie existiert, wohnt unfassbar der Vereinigung inne. Eine jener Auto-Realisierungen in dem gesamten Akt der Wahrnehmung wird vollständig, wenn das wirkliche Ding zum Individuum wird. Jeder Punkt im Universum ist voll von dem

Absoluten, das Relative inbegriffen, das *Maya* ist. Also muss man die Regel der Zusammenhänge folgendermaßen erklären:

„Es gibt keine Verwicklung, keine Entwicklung, keine Fesseln, keine Befreiung, kein Verlangen nach Freiheit; dies ist das wahre Absolute." *(Sankaratcharya.)*

Wir leihen uns von einem zeitgenössischen Pandit [brahmanischer Gelehrter u. Lehrer], M. Manual N. Dvivedi, jene vorangegangenen Zitate der alten Texte in Sanskrit, die sich auf dieses Individuum beziehen:

„Wenn alles Sein dem Wissenden verpflichtet ist, worin kann die Enttäuschung oder der Kummer sein, in dieser ewigen Verwirklichung der Einheit? (Isa Upanishad.)
Sie wird nicht verwirklicht durch jene, die sie kennen, sie wird realisiert durch jene, die sie nicht kennen. (Kena Upanishad.)
Dies muss in Wahrheit nur im Innern empfangen werden, wovon es keine Verschiedenheit und keine Einteilung gibt. (Katha Upanishad.)
Sie ist unerklärbar, unanrührbar, ohne Gestalt, ohne Bestandteile. (Katha Upanishad.)
Vor und nach der Erfahrung ist Brahma; das Ganze dieser allgegenwärtigen Kraft ist Brahma. (Mundakopanishad.)
Ganz geeint in dem Höchsten, unteilbar. (Mundakopanishad.)
All dies ist in Wahrheit Brahma. (Chandogya Up.)
Du bist dies. (siehe oben.)
Derjenige, der das Ganze ist, ist glücklich; es gibt kein Glück in dem guten Zustand, derjenige ist glücklich, der das Absolute ohne Zustand ist – strenge dich an, das Absolute zu werden. (Brihadaranyaka.)
Das ewigliche Ausströmen wird vielfältig durch die Vermittlung der Maya. (Brihadaranyakaup., Ende des V. Brahmana.)
Diese meinige Maya, die in den Gunas (Temperament) Bestand hat, ist nicht übertretbar. (Bhagavat Gita.)
Die Angst kommt von dem Eifer der Zweiheit, durch welche sie, fern vom Herrn, niedergehalten ist durch seine Maya, durch verfälschte Vorstellungen und durch Wichtigkeit an sich. Der Weise ist eins mit dem Herrn . . . (Bhagavata, XI, SK)"

Hier sind einige wichtige Textstellen über diese Doktrin – Auszüge aus einem sehr bekannten, religiösen Sanskritbuch:

„Er (der Einzige) sieht die Seele, die allem Sein innewohnt, und in der Seele all dieses Sein, denn seine Seele selbst ist einzig in der göttlichen Vereinigung und er sieht alle Teile der Identität.
Jener, der mich gänzlich sieht und der alles in mir sieht, kann mich nicht mehr verlieren, noch ist er für mich verloren.
Jener, der mein Wesen liebt, der allem lebendigen Sein Innewohnt, und der sich eingeschlossen in dem Anblick der Einheit aufhält, in welcher Situation er sich auch befindet, er ist immer bei mir. (Bhagavat Gita, VI, 29-31.)
Mit einem menschlichen Körper ausgestattet, verleugnen mich die Unwissenden, verkennen mein höchstes Wesen, das alles Sein beherrscht. (Id., LX, 11.)
Wenn man das unteilbare Wesen allen Seins sieht, das der Einheit innewohnt und von dort seine Entwicklung beginnt, begibt man sich zu Gott. (Id., XIII, 39.)
Ich will dir also sagen, dass man wissen muss, dass dies für den Menschen die Nahrung der Unsterblichkeit ist. Gott, ohne Anfang und der Höchste, kann weder als ein Sein noch als ein Nicht-Sein bezeichnet werden.
Tatenvoll an allen Orten mit Händen und Füßen, Augen und Ohren, Köpfen und Gesichtern, wohnt er in der Welt, die er ganz umarmt. Er erhellt alle sinnlichen Fähigkeiten ohne selbst ein einziger Sinn zu sein; von allem losgelöst, ist er ein Stützpfeiler aller; ohne Formen nimmt er alle Formen an.
Innerhalb und außerhalb aller lebendigen Wesen; zugleich unbeweglich und in Bewegung, nicht unterscheidbar durch seine Subtilität und die Nähe und Ferne;
Ohne in dem Sein aufgeteilt zu sein, ist er ausgebreitet in all jenem; als Stütze des Seins nimmt er es in sich auf und gibt es Stück für Stück ab."
(Id., XIII, 12-16)

Zusammengefasst: Das Eine, das Ewige, das Absolute, das Ganze ist *Brahma;* das Bedingte ist *Maya.* Jede unwissenschaftliche Sache ist unterscheidbar Nicht unterscheidbar, einzigartig, vereinigt, sind die Wissenschaften.

„Die Welt wurde aus einem bestimmten Substratum durch eine Höhere

Intelligenz geschaffen. Die Höhere Intelligenz entwickelt aus sich selbst alle verschiedenen Erscheinungen, und das auf zwei Wegen: Sie verwandelt sich in Materie, zum Teil oder ganz in die Formen der Erkenntnis, oder aber diese Intelligenz stellt durch seine Natur etwas Fiktives vor sich selbst, und gibt der Erfahrung einen Ort bis zu dem Augenblick der Selbstrealisation." (M. N. Dvivedi)

Aus der Zusammenfassung der genannten fortlaufenden Verse der *Bhagavat Gita* scheint ein sehr helles Licht hervorzukommen und ebenso aus der Analyse der Hieroglyphen des Wortes Maya. Man muss andere Konzepte mit den Mitteln der qualitativen Geometrie erdenken, von der Entwicklung der Folgen von der Dreiheit ausgehend um die vorschöpfungsgeschichtlichen Abbildung darzustellen. Wir überlassen alle diese dazugehörigen Verifikationen der Suche des Lesers. Hier nun, zu dem vorangegangenen Gesichtspunkt einige Aufschlüsse, hervorgegangen aus der Feder eines teutonischen Philosophen.

„Die vierte Form der Natur in dem anziehenden Verlangen ist die Umarmung des Feuers, durch das das Licht und die Dunkelheit, sich in ihr jeweiliges besonderes Prinzip trennend; hier ist es, wo das Licht und das ewige Leben ihren Anfang durch die Feinheit der drei ersten Formen, die die wahre Trennung zwischen der Furcht und der Freude sind, nehmen."

Hier die Erzeugung dieses Feuers:

„Wenn der Ewige Wille am Beginn der Natur in die Furcht eingeleitet ist, konzentriert sie sich erneut in den Wunsch, sich von der Furcht zu befreien. Durch diese Konzentration gebiert die Furcht einen großen Auftritt, ein Aufblitzen erscheint, wodurch das Leiden und der Schmerz in Schrecken geraten, sozusagen durch eine große Milde, die sich entfaltet; sie erzittern durch sich selbst und ziehen so das entgegengesetzte und unverträgliche Leben an.
Denn in diesem feurigen Aufblitzen, in dem der Tod geboren wird, versammelt sich das Raue im wässrigen und merkurischen Wesen, von welchem, mit Merkur und Schwefel zum anderen, die Metalle und die Gesteine in der Schöpfung der Erde entstehen.
Es ist dieser Auftritt, oder dieses aufblitzen des Feuers, das in den ersten drei Wirkungen der Bewegung der Natur, außer seinem düsteren Eindruck,

das entgegengesetzte Leben formt, feindlich und schrecklich durch den Zorn Gottes, der beunruhigt, verzehrt und verschlingt. Es ist die Hölle."
(Von der Wahl der Gnade, III, 11 bis 14.)

„Die fünfte Form oder die fünfte Wirkung der Bewegung der Natur in der Wissenschaft oder dem Verlangen ist das wahre Feuer des Lichts der Liebe, wenn man sich von dem harten Feuer durch das Licht trennt, in dem man die göttliche Liebe zu allem Sein empfängt.
Denn die Kräfte trennen sich in diesem Auftritt des Feuers und gehen erfreut in sich selbst zurück. Doch die Kräfte bleiben nicht mehr in der Härte, aber sie gehen in die Freude und die Wonnen der Harmonie ein, mittels ihres Verlangens.
Das soll heißen, dass die Kräfte sich selbst in dem Wesen durch das Verlangen anziehen. Sie ziehen die Farbe des Feuers und des Lichts an, die die Jungfrau Sophia ist; sie geben ihr ihre Nahrung, weil ihr eine große Milde und Güte innewohnt.
Das Gefühl des Gefallens und der gute Geschmack versammeln sich in dem Wesen durch das Verlangen der drei ersten Wirkungen der Bewegung und bilden das, was man die Farbe nennt, den Körper der göttlichen Quintessenz, göttlich verkörpert in Christus.
Liebe Söhne! Wenn ihr den Sinn dessen, was Jesus ausgerufen hat, richtig durchdringend wissen wollt, dass Er aus dem Himmel gekommen ist, und dass Er im Himmel war (Johannes, III, 13), zeigt sich uns das Licht.
Diese quintessentielle Farbe ist die Tugend oder die Kraft des Wortes, in dem Wort; und das Wesen ist die Konzentration, durch die das Wort des Wortes wesentlich oder gefühlvoll wird.
Das Wesen ist das spirituelle Wasser, von dem Christus spricht. Die Quintessenz oder die Farbe verändern dieses Wasser in eine spirituelle Glut, denn sie ist seine Seele: So wie aus dem Vater und dem Sohn der Geist wie eine Kraft und eine göttliche Tugend hervorgeht.
Oh meine lieben Söhne! Wenn ihr von diesen Dingen eine richtige und reine Vorstellung bekommt, lasst nicht zu, dass euer Geist sich durch die Freude erhitzt; jedoch erniedrigt euch zufrieden vor Gott, dass sich euer Geist nie erhebt durch Hochmut nicht seinem eigenen Willen zu folgen, noch dass er nicht die Eigen-Liebe erfährt, und folglich, dass Luzifer und Adam, die die Perle in diese Bewegung der eigenen Phantasie einbeziehen, damit sich die göttliche Harmonie von der Einheit oder der Allgemeinheit abteilt . . .

Diese fünfte Form oder Beschaffenheit der Natur hat alle Kräfte und Tugenden der göttlichen Weisheit in sich; sie ist der Mittelpunkt aus dem Gott der Herr sich durch seinen Sohn offenbart, durch das Wort, gesprochen und ausgedrückt in der Sprache.

Sie ist der Stängel der Vegetation des ewigen Lebens und des spirituellen Wesens: Sie ist die Nahrung der im Feuer brennenden Seele und der Engel; sie ist all das, was man nicht erklären kann.

Sie ist die ewigliche und beständige Offenbarung der göttlichen Dreieinigkeit, oder aller Eigenschaften und Beschaffenheiten der göttlichen Weisheit, die sich nach der Art des Verstandes auszeichnet und sich selbst bewegt.

Sie bezeichnet sich als die Kraft oder das Wort der göttlichen Glorie; sie verbreitet sich in der Schöpfung, und sie bringt alle geschaffenen Dinge hervor.

Sie ist geheim und verborgen in Innern jeder Sache, — gemäß der Eigenschaft der Sache, wie bei einer Quintessenz (Färbung) der belebten Körper; all diese Dinge keimen, vegetieren, sprießen, erblühen und tragen Früchte, jedes zu seiner Zeit.

Sie ist eine Tugend, inbegriffen in der Quintessenz und erzeugt die Medizin, die die Krankheiten bekämpft.

Während die vier Elemente in der göttlichen Stimmung gelegen sind, findet und erscheint die Perle in der Tugend; der Fluch des göttlichen Zorns jedoch bleibt dort in sich selbst gefangen, weil die Menschen dessen unwürdig sind." (Von der Wahl der Gnade, III, 26-30.)

Diese Form bekommt im Sanskrit dem mystischen Namen „AUM" oder „OM", einsilbig-dreifach heilig, der unausgesprochen ist: Genau wie das Tetragrammaton der Quabbalistik. Die höhere Einweihung dieser zwei Namen zeigen allein den Unterschied zwischen semitischer und arischer Einweihung an. Jedoch haben wir dieses Thema bisher noch nicht behandelt. Die geheimnisvolle Einzelsilbe drückt den Aspekt des hoch geheimen Absoluten aus:

„Aum-Er-Der Gute (dies ist eine freie Formulierung für Om-Tat-Sat): So ist die dreifache Ausformung Gottes: Es ist bei Ihm, dass vormals die Brahmanen, die Veden und das Opfer entstanden sind." (Bhagavat Gita, XVII, 23.)

Die heiligen Bücher sind bei diesem Thema beinahe erschöpfend. Wir wollen einige Passagen untersuchen, wobei wir die tiefgründigen Studien des Dr. Malfatti an die erste Stelle setzen:

OUM - 5

„Wenn die Zahl Vier für sich die Bedeutung der Erweckung bekommen hat, wie aus der ersten Trübung des Kreises im Innern der Ellipse hervorgeht, welche die Einheit im Dualismus ist, und wenn als zweite Kraft dieser vorherigen sie sich dort in ein Quartär hieroglyphischer Verhüllung verwandelt. Desgleichen symbolisiert die Zahl FÜNF, der Augenblick und der Punkt, worin dieser ideal verhüllte Hermaphroditismus (Kind von Hermes und Aphrodite – ein Zwitterwesen!) erscheint, um in die Realität einzutreten und um der Welt als „Lingam" innezuwohnen. – Er siedelt sich zumal meist dort an, wo die Vorfahren den Ursprung der Zahl Fünf hergeleitet haben, als die Summe der Zahl Zwei, die zuerst vorkommt, die in jenem Sinne eine weibliche Zahl ist, und der Zahl Drei, die zuerst viril (männlich) vorkommt. – Dieses göttliche Gleichnis, das sich mit der Mitte der Dekade befasst, also der wichtigen Zahl Fünf entspricht, repräsentiert jene große Hieroglyphe der Welt, die sich mit Maya, durch seine Verhüllung in sich alle Menschen eingeschlossen, verbindet, und durch welche Haranguerbehah (die Sechs) unter den Symbolen der ersten geschlossenen Ellipse erscheint, die nicht mehr elliptisch ist.
Dies sagt die indische Doktrin über das Gleichnis von OUM, das Wichtigste von allen, dass wirklich erhellend ist. Nach der Entwicklung Gottes in Maya, muss man die Erscheinung sich durch den Spiegel zu einer ideellen und reellen Verfestigung des OUM verändert vorstellen, so wie der verkörperte Wille durch den Schöpfer dargestellt wird.
OUM ist ein mystisches Symbolwort, und man liest in den drei Büchern des „Beid" (drei Veden), dass dieses Wort das Grundprinzip und die Wurzel des Ganzen beinhaltet.
OUM ist die Anrufung des Ganzen, des Hervorgekommenen; ein Urbild der ersten Entwicklung der Weltgenesis. Ein Hauch des ursprünglichen Lebens. Die Fassung der Natur im Ursprung. Die Hülle der Wissenschaft. Der mystische Körper Brahmas. Die Seele des Ganzen mit und in Brahma.
OUM hat seine eigene ursprüngliche Form in aller Ewigkeit gehabt, jedoch ist es selbst durch die Meditation des menschlichen Denkens verdeutlicht bzw. durch das Werk in Bewegung versetzt worden. Der

Mensch hat es gesucht, um den spirituellen Hauch, der bei der Begegnung durch Gott unausgesprochen bleibt, ertönen zu lassen, besagt die Wissenschaft, sein Licht reflektierend im Geheimnis der Wahrheit. Und wie der Mensch es ihm anderen Menschen erscheinen lassen will, erscheint es als Verstärker der Elemente, Umhüllung der Worte, Form des Klangs. "

Dieselbe Vorstellung der vorangegangenen Form ist im *Gesang der Glückseligen* beschrieben und wir wollen die Entwicklung in den Upanishaden weiter verfolgen:

„Es ist die Hamsa (Schwan), die aus mir (Krishna) hervorkommt und die sich nach dem Beginn der Zeit, die in der belebten Welt zu Jiva (Seele) wird, manifestiert, die unsterblich ist, die den Geist und die sechs Sinne, die ihren Ursprung in der Natur haben, an sich zieht. " (Prakriti.) Bhagavat Gita, XV, 7. (Text von Soubba-Rao. Hier der Text von Emile Burnouf: „In dieser Lebenswelt lebt ein Teil von mir selbst, der das Lebendige belebt und der unsterblich ist, den Geist und die sechs Sinne, die der Natur innewohnen, an sich ziehend. ")

„AUM ist das Sein an sich: Die große menschliche Synthese: Der Beginn, die Mitte und das Ende; die Materie und die Kraft; die Weisheit und die Spiritualität, das göttliche Bewusstsein. Es ist die grundlose Benennung und das mögliche Phänomen; der Keim und die Blüte; die Wurzel aller akashischen, astralen und physischen Korrelationen. Es ist einer der Aspekte des verlorenen Wortes. Die höchste Dreiheit, Atma, Buddha und Manas, das höchste Selbst ist alles und nichts; die Quabbalisten haben gesagt, es ist das große Pentakel. Jeder seiner Buchstaben hat einen eigenen Wert, Zahlen betreffend, klanglich, etc. . . und diejenigen, die das Geheimnis jener verschiedenen Intonationen kennen, können die vibrierenden Kräfte in den unterschiedlichen Entwürfen der stimmungsvollen Natur hervorbringen. (Dr. Pascal: Die Kuriosität, Nr. 113.)

„OM, nach Professor Theodore Goldstücker, ist ein Wort aus dem Sanskrit, das, wegen seiner mystischen Bedeutung, die die hinduistische Zivilisation diesem Begriff gegeben hat, viel Bedeutung in der Religion dieses Landes beansprucht. Seine ursprüngliche Bedeutung ist diejenige einer Zustimmung, einer formellen und feierlichen Beschwörung (wie „Amen"). Deshalb ist in der weißen Yajur-Veda der Opfernde durch die Götter

eingeladen, sich seines Holocausts (Einäscherung zur Umwandlung) zu erfreuen. Die Göttin Savitri beruhigt seinen Wunsch dadurch, dass sie „OM" sagt („das ist es" sozusagen)." (Nach: Dr.N.C.Paul – Theosophist).

Desgleichen, in der *Brihadaranyaka-Upanishad* als Prajapati, Vater der Götter, der Menschen und der Dämonen, von den Göttern verlangend, dass sie mit seinen Anweisungen übereinstimmen, drückt er seine Befriedigung durch seine Worte aus: *„OM"!* = Sie haben mich vollkommen verstanden. Vom Standpunkt der etymologischen Sicht schätzen die Wissenschaftler, dass *„OM"* eine antike Form des Wortes *evam* (dies) ist, das von der pronominalen Form *a* herrührt, abgemildert durch, wie viele analoge Beispiele in Sanskrit zeigen, den Vokal v: Daraus wird also *„AUM ",* was man *„OM"* ausspricht. Nach anderen Sprachlehren entspringt „OM" aus der Wurzel *av,* die die Vorstellung von Schutz gibt, von Zuflucht, von Rettung. In den *Katha-Upanishaden* antwortet Yama, der Gott des Todes, auf eine Frage Natchiketas und sagt: *„Das Wort, das alle Veden enthalten, das alle Bußen erfüllt, für die Gewinnung, durch die die Anhänger alle ihre Wünsche vollziehen, dieses Wort, das ich dir nennen will: Es ist OM. Diese Silbe bezeichnet die Hölle und das Höchste. Derjenige, der diese Silbe kennt, erhält alles, was er sich wünscht."(Anmerkung des Hrsg.: Voraussetzung ist die Beherrschung der quabbalistisch-tantrischen Aussprache – siehe „Der Schlüssel zur wahren Quabbalah")*

„Der höchste Brahma und die Hölle sind alle beide das Wort OM; deshalb ist die Weisheit mittels dieser Grundlage aus dem einen oder dem anderen dieser zwei entstanden. Wenn man über den einzelnen Buchstaben A meditiert, wird man alsbald am Boden sein, bewegt durch die Verse der Rig Vedas in die Welt der Menschen; es bedarf der Ernsthaftigkeit, des Wunsches des religiösen Schülers, und er genießt die Größe. Wenn man desgleichen über die beiden Buchstaben A und U meditiert, wird man durch die Verse der Yajur-Veda bis in die mittlere Welt emporgehoben, man erreicht die Welt des Mondes, und erfreut sich dieses Könnens, man kehrt zurück zur Welt der Menschen. Wenn man jedoch über den höchsten Geist mittels seiner drei Buchstaben meditiert, wird er in der Region der Sonne manifestiert; wie die Schlange aus ihren Wassern freigelassen wird, ist man also der Sünde ausgeliefert." (Prasna Upanishad.)

Die Natur der Seele sei durch die drei Buchstaben A, U, M, ausgedrückt, einzeln, wie auch zusammengesetzt. A ist *vaiswanura* oder die Form Brahmas, die die Seele im Zustand des Wachens repräsentiert; U, ist *taijasa*, die Form Brahmas, die die Seele träumend symbolisiert; und M ist prajna oder die Form Brahmas, in der die Seele sich im Zustand tiefen Schlafes befindet; während diese drei Buchstaben zusammen den höchsten Zustand Brahmas, *„der unbenennbar ist, in dem alle Manifestationen innewohnen, der einzigartig und glückselig ist"*, bezeichnen. Also ist *OM* die Seele; und der, der sie erkennt, tritt in die Höhere Seele ein. *(Mandukya Upanishad.)*

Die *Puranas* bezeichnen das A in diesem mysteriösen Wort als einen Namen Vishnus; das U der seiner Gefährtin, und M, bezeichnet ihre gemeinsame Treue; oder auch in diesen drei Buchstaben die Darstellung der jeweiligen Äußerungen der *Trimurti*.

„Wenn, durch die Wiederholung der Silbe OM, die den Ursprung zu bezeichnen scheint, das Subjekt bis zu einem gewissen Grad Stille erreicht, stellt sich die Frage, zu erfahren, was der Sinn des Wortes OM ist; und man findet zu diesem Thema verschiedene Antworten, je nachdem wie der Geist sich zu den Dingen, die sich nach und nach erheben, verhält. Also wie uns eine Passage über den Ursprung lehrt, ist OM der Beginn der Veda, so wie derjenige, der über OM meditiert, annimmt, dass er über dies und jenes der Veda zusammen meditiert.
OM ist das Wesen der Sama-Veda, die der ganze Auszug der Rig sind, und kann als Essenz der Rig-Veda bezeichnet werden. Die Rig-Veda existierte noch vor jedem Wort, die Sama vor jedem Lebenshauch; auf die Weise, kann Om als Symbol aller Worte und allen Lebens angesehen werden; Ebenso drückt dieses Wort nicht allein die Namen aller unserer physischen und mentalen Kräfte aus, sondern es ist auch insbesondere das spirituellen Prinzip des Lebens.
Jene, die über OM meditieren, meditieren über den Geist des Menschen in seiner Identität als Geistes der Natur oder der Sonne; also hat der Text zu Beginn der Kandogyya Upanishad den folgenden Sinn: Jede der Veden mit ihren Opfern und ihren Zeremonien vermag nicht für das Heil der treuen Anhänger zu bürgen. Die Erfüllung der heiligen Werke, gemäß den Regeln der Veden, sind nicht am Ende ohne Hilfe, jedoch kann allein die Meditation über OM oder das Erkennen dessen, was durch OM bezeichnet wird, das wahre Heil oder die reelle Unsterblichkeit vermitteln.

Auf die Weise wird der Schüler schrittweise in das eingeführt, was der wichtigste Gegenstand der Upanishaden ist, namentlich das Erkennen der Identität des menschlichen Ich und der höchsten Seele.
Die Erkenntnisse, die zu diesem hohen Konzept des Universums führen, im subjektiven und objektiven Fall, sind ohne Zweifel mit Aberglauben und Absurditäten vermischt. Aber der Hauptgegenstand verliert nie die Übersicht." (Monier Williams.)

Hier ist schließlich eine Übertragung einer Upanishad, die die Natur von *OM* behandelt; da sie nach einer englischen Ausgabe gemacht ist, können wir uns nicht auf ihre Genauigkeit verlassen; aber die „Übung" der reinen Namen verdirbt einfach den Versuch, nach ihrer Tugend und ihrem Gebrauch die wahre Natur der Einzelsilbe aufzudecken:

THARA-SARA-UPANISHAD

Sukla-Yajur-Veda.

AUM. – Brihaspati (Jupiter) fragt Yajnavalkya: „Derjenige, der Kurukshetra genannt wird, ist der Sitz des Opfers der Götter und des Studiums Brahmas. Wenn man also in dem Sitz des Opfers und dem Studium Brahmas, fortfährt, wie man muss, erkennt man Kurukshetra?"
Darauf antwortet Yajnavalkya: „Avimukhta (Benares – der Ort der Emanzipation des Auges Shivas) ist Kurukshetra, der Ort, den du suchst, weil dort ist, wo Rudra (Shiva) Tharaka-Brahma (Name für AUM) einführte. Dadurch wird man unsterblich und man genießt die Befreiung (Moksha). Deshalb muss man sich in die Mitte dieses Ortes begeben und darf sie nicht verlassen, oh hochehrwürdiger Herr."
So sprach Yajnavalkya.
Dann fragt Bharadwaja Yajnavalkya: „Wer ist Tharaka? Wie überragt er diese Existenz?"
Dies antwortete Yajnavalkya: „Om Namo Narayanaya: Derart ist Tharaka; dies soll angebetet werden wie das absolute Bewusstsein (Tchidatmaka). Om ist ein einfacher Buchstabe der Natur des Absoluten (Atma). Namaha besteht aus zwei Buchstaben und aus der Natur der Materie (Prakriti). Narayanaya besteht aus fünf Buchstaben und der Natur des höchst erhabenen Brahma. Derjenige, der dies kennt, erlangt

Unsterblichkeit. Durch OM wird Brahma hervorgebracht; durch Na wird Vishnu hervorgebracht; Rudra wird hervorgebracht durch Ma; Iswara wird hervorgebracht durch Na; durch Ra wird der universelle Vivadj hervorgebracht; durch Ya wird Purusha hervorgebracht; durch Na wird der Herr (Bhagawat) hervorgebracht und durch Ya wird Paramatma (Funke des Wortes, der alles belebt) hervorgebracht. Diese acht Buchstaben Narayanas sind der höchste Geist (Purusha). Die Rig-Veda ist seine erste Hälfte. So ist OM das Unzerstörbare, das Höchste und Brahma. Mit diesem Thema allein soll man sich in der Meditation beschäftigen. Dies ist, wie sich die acht feinen Buchstaben zusammensetzen; und es sind acht, weil sie acht „Formen" haben. A ist der erste Buchstabe; U der Zweite; M der Dritte, der spirituelle Keim (Bindu) ist der Vierte, der spirituelle Klang (Nada) ist der Fünfte; die Zeit (Kala) ist der Sechste; und der, der über alles hinaus noch ist, ist der Achte. Sein Name ist Tharaka (übertragen), weil er den Verlauf des gemeinsamen Lebens anführt. Wisse, dass Tharaka Brahma ist und, dass das das Thema ist, über dem man meditieren soll. Durch den Buchstaben A kommt Brahma gerufen als Bär (eine Inkarnation Brahmas als Jambavan). Durch den Buchstaben U erscheint Upendra (die Gottheit, die die Schenkel der Menschen beherrscht) genannt Hari. Durch den Buchstaben M kommt Shiva hervor, bekannt als Hanuman (Shiva hat acht Münder, oder Gestalten: Die fünf Elemente, die Sonne, den Mond und die Erde, Hanuman, der Affengott des Ramayana, ist eine Inkarnation des Elements Luft (Vayu), als Folge einer Erscheinung Shivas.). Der Keim (Bindu) wird Iswara genannt, er ist der Herr des Bewusstseins. Der Klang (Nada) ist die große Barata, dem Muschelhorn gleich. Die Zeit (Kala) kommt von Purusha genauso wie von Lakshmi (Lakshmi, vermählt mit Vishnu, ist die Sonnengöttin der Gesundheit. Sie ist die Mutter von Sita, der symbolischen Frau Ramas, und sie ist die Stütze der Erde, aus welcher sich Sita erhebt und in die sie zurückkehrt. Aus theogonischer Sicht ist Rama eine Inkarnation des Wortes; aus geogonischer Sicht ist der Geist von weißer Rasse; aus menschlicher Sicht ist er ein Aspekt des reinen inkarnierten Geistes) und der Unterstützung der Erde. Das, was über der Zeit ist, ist die Göttin Sita selbst. Das, was darüber ist, ist der Funke des Absoluten genannt Rama, der höchste Purusha. All dies ist erklärt in dem Buchstaben OM, der die Vergangenheit, die Gegenwart und die Zukunft ist und der diese unterscheidet: Das Element (Tattwa), die Inkarnation (manatram), die Götter (devatas), das Maß (tchandas), die Hymne (Rikh), die Zeit (Kala), *das Vermögen (Sakti), die Schöpfung (Srishti). Diejenigen, die diese Dinge kennen, werden unsterblich.*

Die Yajur-Veda ist das zweite Standbein.

Daraufhin fragt Bharadwaja Yajnavalkya: „Durch welche Beschwörung wird der Funken des Absoluten geehrt und steigt (zum Anrufenden) herab. Sag mir dies, bitte." Yajnavalkya erwidert:
„1. OM. – Dies ist der Funke des Absoluten, Narayana ist der Herr, bezeichnet durch den Buchstaben A, die Unterstützung, und die Erde (Bhuh), die Luft (Bhuvah), die Augen (Suvah). Gruß an ihn.
2. OM. – Jener, der der Funke des Absoluten ist, Narayana ist der Herr, beschrieben durch den Buchstaben U, und er ist der Sagitarius (Schütze), die Erde, die Luft und die Himmel. Ihm zum Gruß.
3. OM. – Jener, der der Funke des Absoluten ist, der Narayana, ist der Herr, benannt durch den Buchstaben M, und ist von Shivas Gestalt oder von der des Affengottes, und er ist die Erde, die Luft und die Himmel. Gruß an ihn.
4. OM. – Derjenige, der der Funke des Absoluten ist, ist Narayana und der Herr, ist das Bewusstsein in der Gestalt des Keims, und ist die drei Welten. Ihm zum Gruß.
5. OM. – Derjenige, der der Funke des Absoluten ist, der Narayana und der Herr des Klangs, ist die Erde, die Luft und die Himmel. Ihm zum Gruß.
6. OM. – Jener, der der Funke des Absoluten ist, der Narayana, ist Lakshmi, in der Gestalt der Zeit; Er ist die Erde, die Luft und die Himmel. Gruß an ihn.
7. OM. – Jener, der der Funke des Absoluten, der Narayana, der Herr, der sich über den Zeiten befindet, ist die Göttin Sita, in der Gestalt des Bewusstseins. Er ist die Erde, die Luft und die Himmel. Ihm zum Gruß.
8. OM. – Derjenige, der Paramatma ist, der Narayana, dieser Herr, der über allem steht, der sehr alte Purusha, der Starke, der Unbescholtene, der Erleuchtete, der Emanzipierte, der Wahre, der Höchstglückliche, der Unendliche, der Einzigartige, der Allgegenwärtige – dieser Brahma bin ich selbst. Ich bin Rama und die Erde, die Luft und die Himmel. Ihm zum Gruß. Derjenige, der sich zu einem Meister der achtfachen Beschwörung wandelt, wird durch das Feuer gereinigt, er wird durch die Luft gereinigt, er wird durch Shiva gereinigt, er ist den Göttern bekannt. Er erhält die Früchte der Rezitation der Gedichte (Ramayana und Mahabarata), der

Puranas und der Beschwörungen, hunderttausendfach wiederholt. Derjenige, der über die acht Buchstaben des Narayana nachdenkt und meditiert, wird der Früchte der Rezitation, hunderttausendfache Wiederholung der Gayatri (heilige Formel) oder zehntausendfache Wiederholung von AUM, habhaft. Er reinigt seine Vorfahren bis zum zehnten Grad. Er erhält den Stand des Narayana. Derjenige, der dies weiß, erhält den Stand des Narayana."

OM-TAT-SAT.

Fassen wir nun diese etwas trockenen Ausführungen zum Erkennen der Gestalt des Klangs in gleicher Weise zusammen. Der deutsche Theosoph Böhme stimmt in diesem Punkt mit Malfattis Theorie über den indischen Symbolismus überein. Er sagt dazu:

„Die sechste Eigenschaft des geäußerten Willens, ist der Klang, die Fassungsgabe, das Wort; sie liegt zugleich in den zwei unbekannten Zentren. In dem freien Zentrum des Feuers der Natur, ohne die Mitwirkung des heiligen Feuers (denn diese zwei Flammen sind unvereinbar, wie die Teufel und die Verdammten), gibt es keine Fassungskraft, jedoch einfach eine erhöhte Wahrnehmung, wie eine Prüfung des „Basses" der Natur . . ."
„In diesen sechs Eigenschaften finden sich die hierarchischen Namen, göttliche Kräfte der Einheit in Aktion; sie sind zugleich in den zwei unbekannten Zentren."
„Dort ist, im Besonderen, das geheimnisvolle TETRAGRAMMATON, *Zentrum des universellen Werkes Gottes, der in den zwei Mittelpunkten handelt, und wovon die bösen Geister einen bösartigen Gebrauch für ihre Rückversetzung in das Zentrum des Feuers der Natur machen."*
„Und dieser Name enthält die Wurzel der gesamten Quabbalah und aller Magie." (Böhme, 177 Fragen der Theosophie, IV, 31-32).
„Die sechste Gestalt oder Eigenschaft der Natur, in der Wissenschaft oder im Wunsch, ist das Wort, die göttliche Sprache, der Klang oder die Stimme der Kräfte, von wo der Heilige Geist in der Konzentration der Kräfte ausgeht: So wie wir das Wort im Menschen betrachtend einen klaren und gerechten Gedanken bilden können."
„Es gibt desgleichen in den göttlichen Kräften, in der Harmonie, eine Stimme, die handelt und die alle Sinne in das spirituelle Leben zurückversetzt . . ."

45

„Hier ist, was benötigt wird, um einen klaren und gerechten Gedanken über die spirituelle Welt zu bilden, sozusagen über das spirituelle Wort; man muss es begreifen, wie es sich in der Schöpfung bildet. Es ist von dort, woher die Stimme aller Wesen seinen Ursprung nimmt; diese Stimme wird eine merkurische Tugend genannt; sie entstammt aus der unbekannten Dichte oder Dauer, wo sie mit den anderen Kräften gemeinsam handelt; ihr Gesang vereinnahmt alle Lebewesen; jedoch hört man den einfachen Klang in den stummen Wesen."

„Man muss besonders beachten, bei dieser sechsten Gestalt, das wahrhaftige Erkennen der Entwicklung der Sinne; denn wenn der Geist aus diesen verschiedenen Eigenschaften hervorgetreten ist, findet er sich in der Freiheit, in der Harmonie der göttlichen Stimmung wieder, worin er alle die besagten Eigenschaften besitzt."

„Dies, worin der Körper eine reelle und essentielle Kraft ist, es ist dies, worin der Geist eine spirituelle Kraft ist, flüchtig und erhebend; also muss man sich einen klaren und gerechten Gedanken von der Weisheit des Geistes machen, woher die Sinne ihren Ursprung nehmen." *(Von der Wahl der Gnade, III, 31.-34.)*

Diese Zahl belegt einen bemerkenswerten Rang in unserem Thema und die Theosophen, die an den linguistischen Fragen interessiert sind, haben nicht versäumt, ihr einen ganz speziellen Platz in ihren Überlegungen zu geben. Man kennt die Analyse, die Fabre d'Olivet über den sechsten Buchstaben des hebräischen Alphabets angefertigt hat; hier folgt, was, einer seiner Initiatoren über dasselbe Thema äußerte:

„Unter den drei grundlegenden Zeichen, unter denen unser gesamtes Denken steht, ist eins, das unsere bevorzugte Beachtung verdient, und auf welches wir einen Moment lang einen Blick werfen werden. Es ist jenes, das die beiden anderen verbindet: Das Abbild der Handlung unter unseren intellektuellen Fähigkeiten und das Abbild Merkurs unter den körperlichen Grundlagen. In einem Wort, es ist das, was man unter den Sprachgelehrten als das „Wort" bezeichnet."

„Man darf nicht vergessen, dass, wenn es das Abbild der Handlung ist, ist es das, durch das das gesamte fühlbare Werk unterstützt wird und weil es die Eigenschaft der Handlung allen Tuns ist, denjenigen angedeuteten oder bildhaften Klang darzustellen und alles, was ihn ausmacht, anzuzeigen."

46

„Auch, dass man über die Eigenschaften dieses Zeichens im Zusammenhang dieses Diskurses nachdenkt; dass man erkennt, dass es stark und seelenvoll ist, ferner sind die Ergebnisse, die man erhält, sinnbildlich und kennzeichnend. Das sieht man durch eine leicht zu machende Erfahrung, genauso wie alle diese untergeordneten Dinge des Wollens oder der menschlichen Übereinkunft, welches dadurch geregelt ist, dass es in erster Linie durch das Wort belebt wird. Also, wie die Beobachter überprüfen, wenn dies nicht durch dieses Zeichen des hervorgerufenen Wortes, das sich in allem, was wir kennen, in gewisser Weise manifestiert hat, denn wenn es nicht das einzige der drei Zeichen ist, die entweder das Empfinden stärkend oder für den Ausdruck schwächend ist, während die Namen des Schutzes und des Themas einmal fixiert sind, wohnen sie immer dem Gleichen inne. Entweder man findet heraus, wie wir dazu kommen, ihm diese Handlung zuzuschreiben, während die Gottheit es wahrhaftig hervorgebracht hat, und man erkennt absolut seinen Verlauf auf den sich diese Dinge zurückführen lassen oder man drückt sich dergleichen stillschweigend aus.“

„An dieser Stelle muss angemerkt werden, warum die untätigen Beobachter und die betrachtenden Quabbalisten nichts finden, weshalb sie immer sprechen und nie etwas AUSSAGEN.“

„Ich äußere mich nicht mehr über die Eigenschaften des Wortes; verständige Augen müssen nach dem was ich gesagt habe, die wichtigsten Entdeckungen machen und sich selbst davon überzeugen, dass in jedem Augenblick ihres Lebens, der Mensch das fühlbare Abbild der Mittel ist, durch welche alles geboren wurde, alles handelt, und alles beherrscht wird.“ (Von Irrtümern und von der Wahrheit, S. 478 bis 480.)

Auf dem Gebiet der magischen Phänomenologie hat die Zahl Sechs eine große Bedeutung, ebenso in der ideologischen Beziehung des Maßes des Umfangs, wie in der physikalischen Beziehung der Form des Raums, der Materie des Logos. Eine der Bezeichnungen, die die Hindus dem Raum aus der Sicht der Philosophie gegeben haben, ist *Akasha*, ein Wort, das so viel bedeutet wie unser Begriff Äther, was jedoch nicht mehr als eine ungefähre Übersetzung ist. Es ist die Quintessenz der Alchemisten, die alle Dinge hervorbringt, die das Nichts an das Sein bindet, also wie Fabre d'Olivet lehrt, und wodurch jene Anpassung der Formen zu ihrer antreibenden

Eigenschaft immerwährend verwirklicht werden.

„Der Akasha ist das spirituelle und übersinnliche Wesen, das den Raum ausfüllt, die allererste Substanz, die man zu Unrecht mit dem Äther gleichgesetzt hat. Sie ist im Äther, wie der Geist in der Materie. In Wirklichkeit ist es der universelle Raum, wo sich die ewiglichen Verbildlichungen des Universums aufhalten, in ihren stetig wechselnden Erscheinungen im Entwurf der Materie und der Objektivität, durch welche der erste Logos hervortritt oder der Gedanke ausgedrückt wird. Auch die Puranas sagen, dass die Akasha kein Attribut hat, außer dem Klang, denn es ist der Klang, der keine symbolische Übertragung des Logos „Wort" im mystischen Sinne des Wortes ist. "

„Akasha ist der leitende und allmächtige Gott, der, in den heiligen Mysterien die Rolle des Sadasya hat (der die magischen Wirkungen, produziert durch die religiösen Zeremonien, hervorruft). Er hatte vormals einen besonderen Priester, der seinen Namen trägt. Der Akasha ist der unerlässliche Vertreter jeder magischen Zeremonie (Kritya), ob religiös oder profan. " *(Blavatsky – Geheimlehre)*

Die indische Tradition gibt eine fünffache Klassifikation des Akashas, nach seinen diversen Funktionen im universellen Prozess: Dieser Einteilungen nach sind das *Akasha*, der *Para-Akasha*, der *Maha-Akasha*, der *Surya-Akasha* und der *Parama-Akasha*. Der *Akasha* bezeichnet im tibetanischen System den *Mahayana, Alaya* oder die universelle Seele.
Wir gehen im letzten Kapitel dieser Meditation dazu über, auf welche Weise man die Funktionen der *Akasha* nutzen kann.

3. Kapitel

DER MENSCHLICHE LOGOS

Konstitution des Menschen. Physische Organe des Worts. Ursprung des Worts. Fortschreiten des Worts. Die Sprachen.

Steigen wir nun von den theogonischen Höhen herab, um das Gebiet der menschlichen Verwirklichung zu betreten. Der Mensch, Teil des Universums, muss in der Gesamtheit seines Seins die gleiche Entwicklung zeigen, die wir zuvor durch die Meister beschrieben und betrachtet haben. Wir haben also die Ordnung dieses leuchtenden Seins zusammenzufassen, den schicksalhaft aus den *Wassern* entsprungen Keim, um seine Fähigkeiten bis ins Unendliche weiterzuentwickeln und der Verbindung zwischen dem herabsteigenden Geist und der Materie, die sich erhebt, zu dienen.

Wir bieten uns nicht an, hier ein vollständiges Bild der Beschaffenheit des Menschen in seinem Prinzip und seinen Fähigkeiten zu geben. Die Grenzen, die wir uns aufgelegt haben, schränken diesen Vorgang auf den kurzen Hinweis des „Berichts, der ihn mit dem Universum und mit Gott verbindet" ein und verkürzt das Abbild des „Großen Ganzen" darstellt.

Betrachtend in der Gesamtheit der Bevölkerung der Erde und der Sterne, ist der große Adam (Kadmon) identisch mit JENEM, den die F.∴ M.∴ den Großen Architekten des Universums nennen; es ist jener, den Eliphas Levi im ersten Band seines *Dogma der Hohen Magie* bei der Aufgliederung der

Figur des Entflammten Sterns angibt.

Den gleichen Namen, den Moses dem Menschenreich im Ausmaß der Erde und der Himmel gegeben hat, ADAM, der nichts anderes repräsentiert, als eine generative Kraft, das Ergebnis dieses Lebenshauchs, den die Veden AUM nennen, und dessen erste Entwicklung aus der **Dreieinigkeit** der Vorgenese durchgeführt wird, multipliziert sich durch die Stimme der **Vierheit** in den Koordinationen des Raums und der Zeit. Die Einheit dessen ist das Prinzip, wenn das **Wort** darin der Geist ist, und wenn die universelle Maya darin die Mutter ist. Derart offenbart sich der Hermaphroditismus, welcher noch nicht durch den ersten Menschen beeinflusst ist. Noch tiefer in seinem unsterblichen Sein verbirgt sich das Licht, das tief im Heiligtum wartet, wie *Atma*, „frei und vollkommen, allwissend, überall anwesend und abwesend". Es ist die unzerstörbare und diamantene Spitze, die ewige, neutrale Null. Hier folgt, wie sie einer der Nachfahren Ramas beschreibt:

„Die Körper, die den Vorgang zu einer ewiglichen, unzerstörbaren, freien Seele abgeschlossen haben. Also kämpfe, oh Bharata.
Jener, der glaubt, dass sie tötet oder dass man sie töte, täuscht sich: Sie tötet nicht, sie wird nicht getötet. Sie wird niemals geboren, sie stirbt niemals; sie wurde nicht irgendwann geboren, sie muss nicht wiedergeboren werden; ohne Geburt, ohne Ende, ewiglich, altertümlich, wird sie nicht getötet, wie man den Körper tötet.
Wie man die getragenen Kleider ablegt, um sich zu erneuern, verlässt also der Geist den verbrauchten Körper, um in einen neuen Körper einzuziehen.
Weder die Spitzen durchbohren sie, noch verbrennt sie die Hitze, weder die Wasser benetzen sie, noch trocknen sie die Winde.
Unerreichbar für Stiche und Verbrennungen, für Nässe und Trockenheit, ewiglich, verbreitet an allen Orten, unbeweglich und unbeirrbar, unsichtbar, unauslöschlich, frei, das sind seine Attribute: Dann weißt du es auf diese Weise, beweine sie also nicht." (Bhagavat Gita, II, 17 bis 24)

Das ewige Prinzip des Menschen, außerhalb der Zeit und des Raums, bereitet sich also darauf vor aus dem Absoluten herauszutreten, um in das Relative einzutreten. Das Abbild der **Dreieinigkeit** der Vorgenese ist, wie wir gesehen haben, seine Hülle, seine Fähigkeit, die Große Maya, Maria, Königin des Himmels, Io, Mulaprakriti, das Natur-Wesen.

Die erste Hülle des mikrokosmischen Worts wurde also von dieser Sophia gewoben, der Mutter Christi; Tempel des Heiligen Geists, Tabernakel worin die Kommunion sich vollzieht, die große Einheit. Zahlreiche Benennungen hat man dieser subtilen Hülle gegeben; die Veden und die Königlichen Raja-Yogis bezeichnen sie als kausalen Körper. Wir nennen sie den psychischen Körper. Dieser Körper ist das Ergebnis der Handlung des Lichts, belebt durch das Wort, tätig auf der physischen Grundlage des Natur-Wesens, dessen Grundlage der eigene Ort der Persönlichkeit ist, der Bund zwischen den Inkarnationen.

Diese erste Hülle ist die Spitze des Aufbruchs der Erkenntnis des Bewusstseins, sozusagen der Individualität, der Getrenntheit. Sie ist das Ergebnis der Handlung der angestrengten Kraft, die den evolutionären Gang des großen Zyklus der Notwendigkeit leitet, also die Manifestationen, die sich in dem Raum und in der Zeit anordnen lassen. Der kausale Körper beruht also auf dem Gesetz der Aneinanderreihung der Wirkung und der Ursachen, von den Hindus Karma genannt. Dazu kommen wir, wenn wir mit der Erlaubnis auszudenken aussprechen, wie der Eingeweihte sein Karma ausgleicht, sich sozusagen durch die Frucht der Handlung entbindend, sein Bewusstsein auf den Entwurf des Natur-Wesens übertragen kann. Dieser virtuelle und subjektive Körper manifestiert sich in einem Bewusstseinszustand, befreit von allen intellektuellen Erkenntnissen. Sein eigener Ort ist die allgemeine Sphäre, die die kosmische „Große Matrix (Gebärmutter)" symbolisiert. Es ist das Produkt der zentrifugalen Kraft.

Verlassen wir diesen Entwurf der undifferenzierten allerersten Substanz, Abbild der **Dreieinigkeit** der Vorgenese; dieser kausale Körper, den niemand kennt, weil er Allen gleich ist. Die ewige Natur entsteht aus der natürlichen Natur; die Söhne Evas sind aus deren Leben geboren, die Universalität der Dinge teilt sich unter Abel, Kain und Seth auf. – Der Raum und die Zeit entstehen aus den **Ästen des Kreuzes**, und aus ihrer wechselseitigen Reaktion entsteht der Keim des goldenen Eies (Hiranyagharba), das die Welt in seiner dritten Verhüllung birgt; dies ist aus menschlicher Sicht, der erzeugende Prozess der Seele. Einmal mehr geht Böhme darauf ein, die obskure Parabel der Brahmanen und der Upanishaden zu entwickeln und zu festigen:

„Die Seele des Menschen ist durch den Geist Gottes konzipiert, in der Mitte des Kreuzes, dort wo das ewige Wort entsteht." (Vom dreifachen Leben des Menschen, V, 89).

„Die Seele Adams ist vom ewigen Willen ausgegangen, aus dem Zentrum der Natur, dem Kreuz der Dreieinigkeit, dort wo die Trennung von Licht und Dunkelheit stattfindet." (Ebenso, VI, 50).

„Die Aura des Menschen", sagt T. Subba-Rao in „Lesungen über die Bhagavat Gita", „ist die Grundlage des astralen oder subtilen Körpers; darüber kommt jene Energie, die die Spitze des Anfangs der astralen Empfindung der Sonne ist; . . dieser Körper ist teilweise das Ergebnis der physischen Existenz, so wie diese durch die Bedürfnisse und die physischen Vereinigungen vervollständigt wird . . . Es ist also nur die Besetzung durch die niedere Natur des Menschen."

„Es ist das Zentrum oder der Drehpunkt der Balance; das zentrale ewige Feuer des freien Willens." (Böhme)

Der Punkt der Korrespondenz des Teufels ist der Ort, wo die Ferse der Frau (Maria, Maya) den Kopf der Schlange zertreten muss. Diese Zerstörung des **Egoismus** bildet die Befreiung. Der astrale Körper, der, auf dem Standpunkt der Natur wie dem des Menschen steht, der der reale und einzige Drehpunkt allen Lebens ist, besitzt folglich selbst alle Fähigkeiten und alle Kräfte (Tattwas). Wir sind in die objektive Welt eingetreten. Das Bewusstsein, sozusagen die Erkenntnis der Trennung, übt sich unablässig befreiend auf das Ich und das Nicht-Ich aus. Das objektive Nicht-Ich, haben wir gesagt, ist manifestiert als Funktion von Raum und Zeit; anders ausgedrückt die ewige Natur verwirklicht sich in der natürlichen Natur, wenn die Phänomene aufgeteilt worden sind, nach ihrem Erscheinen in fünf Klassen. Diese Klassen sind die großen Tattwas der Inder. Dies sind die vier Elemente plus die Quintessenz des okzidentalen Hermetismus. Hier die Aufzählung dieser fünf Zustände der Materie: Der Äther *(Akasha)*, der Raum oder die Leere, die den Klang entstehen lässt; – die Luft *(Vayu)*, der Raum, der die Bewegung entstehen lässt; – das Feuer *(Tejas)*, die Ausdehnung des Raums, der die Hitze und das Licht entstehen lässt, durch die die Form vereinnahmt wird; – das Wasser *(Apas)*, das Zusammenziehen des Raums, die Verengung; – die Erde *(Prithvi)*, die Fixierung des Raums, Gleichgewicht und Fixierung des Lichts und des Wassers. Dies ist die Systematisierung des Aspekte des Nicht-Ichs. Das Ich besitzt einen fünffachen Apparat der Belebung, und einen anderen (Prana) ebenso fünffachen der Wahrnehmung, der seine Funktion aus einem pyramidalen Zentrum, das der Sitz der Persönlichkeit ist, entnimmt. Um eine genaue Vorstellung dieser Persönlichkeit, die wir anrufen, zu bekommen, welche uns die undifferenzierte Ebene der Natur-Essenz verlassen lässt, um in jenen der objektiven Natur mittels Abtrennung einzutreten. Nun, wenn wir uns zurückbegeben zum Begriff „Bewusstsein", sehen wir seine etymologische Bedeutung, die es als Assimilation einer Erkenntnis bezeichnet. Der bewusste Vorgang ist also vorwiegend der Beweis einer Unterscheidung zwischen zwei Dingen. Also befindet sich das bewusste Sein im Menschen zugleich im Ich, der Sitz der Persönlichkeit, das Werkzeug, das 1. die äußeren Eindrücke empfängt und sie untereinander vergleicht. 2. sie untersucht, sie klassifiziert. 3. die Erfahrungen in sich aufnehmend, alle bewahrt in der Unterscheidung des Ich und des Nicht-Ich. Also bringt das niedrigste Lebewesen der menschlichen Verbindung das bewusste Sein mit dem Plan der Physik des Universums zusammen. Wir können uns nicht mehr über seine Beschreibung einig werden. Suchen wir jetzt den Zweck und die Arbeitsweise dieser bewundernswerten Maschine, in deren Harmonie und Einfachheit die Anstrengungen des Geistes sich äußern. Auf die erste Frage haben wir keine erklärende Antwort erhalten. Der Zweck menschlichen Lebens ist einfach, in dem man das Bewusstsein in jeden Zustand des kosmischen Seins einbezieht, um die Entwicklung aller Möglichkeiten des Logos zu vollenden.

„Diese Attribute, die über jede Gewalt erhaben sind und in denen sich die einzige Quelle des Menschen findet, sind enthalten in der Kenntnis der Sprachen, sozusagen in dieser gemeinsamen Fähigkeit aller menschlichen Wesen, ihre Gedanken auszutauschen. Eine Fähigkeit, die alle wirklich gebildeten Völker haben, aber in einer für sie wenig nützlichen Weise, denn sie haben sie nicht auf ihren wahren Gegenstand hin verwendet.
Wir sehen offenbar, dass die Vorteile, die der Fähigkeit zu sprechen anhaften, die reellen Rechte des Menschen sind, denn durch sein Mittel spricht er mit seinesgleichen, und er teilt ihnen seine Gedanken und alle seine sensiblen Empfindungen mit. Genauso wie man sich einzig wahrhaftig über seine Wünsche einem Gegenstand gegenüber äußern kann, denn alle Zeichen, die man gebraucht hat, um das Wort stellvertretend darzustellen, sind von Natur aus, durch den „Zufall" nicht vollständig. Für diesen Zweck sind sie unvollkommen." (Irrtümer und von der Wahrheit, S. 452.)

Wenn unsere Leser der reellen Natur des göttlichen Wortes zugestimmt haben, haben sie erfahren, wie sich die zweite Personifizierung der **Dreieinigkeit** in ihrer Äußerung durch strikt korrespondierende Bilder des aktiven Prinzips, sich zum richtigen Augenblick entwickelt haben. Das Wort kleidet sich immer in andere Äußerungen, eine symbolische Verhüllung von Gedanken, Gefühle oder physische Handlungen, es ist wie der Abdruck seines Wollens; – in dergleichen Weise wie eine Statue der Ausdruck des Gedanken eines Bildhauers ist. Nun, der bestehende Mensch, der perfekte Tempel, den der Heilige Geist erhoben hat zum Ruhm des G.·.B.·., ist in seinem allgemeinen Symbolismus das exakte Abbild der Funktion des Wortes. Jedes Ding ist ein Zeichen im Universum, beginnend mit dem Mineral, der unbeweglichen Erscheinung; und jedes Zeichen statisch in seinem Ursprung, jedoch beweglich in seiner Entwicklung, ist Ausdruck eines Gedankens, einer Fähigkeit des **universellen Wortes.** Der Mensch reiht sich in die Ordnung dieses Gesetzes ein. Seine **dreifache** Gestalt, genauso wie die Bewegung seiner sichtbaren und unsichtbaren Organe, sind keine Zeichen der göttlichen Aktivität an ihm. Beschäftigen wir uns nicht mit der statischen Bedeutung dieser Organe. Wir wollen die Zeichen der intellektuellen Aktivität studieren, das heißt, die Sprache. Verlassen wir dieses Thema jedoch nicht, ohne die erleuchtende Beziehung zu erwähnen, die seine komplexen Funktionen harmonisiert. Dem **dreifachen** Keim (den **Bauch**, den **Brustkorb** und den **Kopf** betreffend), der sich in der physischen Verhüllung des Menschen ergibt, ist ein dreifaches System von Organen zugeordnet, Körperteile, die äußerlich die verschiedenen Zustände des Inneren, die sie erzeugen, ausdrücken. Dies ist also, wie das vegetative Leben durch relativ einfache Bewegungen der untergeordneten Körperteile gekennzeichnet. Das belebte und essentiell dynamische Leben findet sein vielfaches Abbild in den vielen verschiedenen Gesten der Arme und vor allem der Hände, worin sich die Häufigkeit mit einer frappanten Eloquenz der aktiven Fähigkeiten dieses Zentrums ansammelt, während sich die weniger große Bewegung des Kopfes (des Kiefers) verdoppelt, ist der Mondsockel der Frau bekleidet von der Sonne.(vgl. Vertauschung der Lichter!)

„Der Brustkorb oder Keim der Brust", sagt Malfatti in „Mathese", „wird wie ein Schlachtfeld des dreifachen Lebens angesehen, wie sein dreifaches Mittel in der ewiglichen Bewegung, in der Ausstoßung des Hauchs und im Puls, den elliptischen Weg nach dem Tod keineswegs verlassend."

„Das plazentale unter dem dominanten Leben.
Die Lungen über denen, die die Plazenten repräsentieren.
Das Herz, das Embryo, und die Herzumgebung, der Rücken,
die Fruchtwasser und das Hinfällige."

*„Das Herz, erscheint wie der hauptsächliche Vertreter der Übergang vom
Dualismus in die Vierheit, wie das Schlachtfeld der Dreiheit dahin strebt,
zum Quadrat zu werden.*
*In den Lungen siegt immer das Streben der Bewegung, gespannt in der
Form des Dreiecks und des Karrees, erzeugt die Form eines Rhombus. - In
ihrer unaufhörlichen Funktion und in ihrer veränderlichen Beschaffenheit,
öffnet und schließt sich die offensichtliche und verborgene Existenz, die
innere und äußere Erzeugung des Menschen, in kürzester Zeit und auf
kleinstem Raum."*

Kurzum, an der Spitze des Bauwerkes, des Keims des Kopfes, repräsentiert
das Kiefer das Mittel der Äußerung der Gedanken, die im Innern erzeugt
werden. Vergessen wir nicht in dieser Aufzählung die Funktion des Phallus
als Körperteil des Kleinhirns. Es ist diese Funktion des Wortes, deren
Prinzip und deren Bewegung man jetzt bestrebt sein muss, aufzudecken.
Wir studieren zügig die Sprache in ihrer Anatomie und in ihrer allgemeinen
Physiologie, um auf diese Weise die notwendigen Erkenntnisse der
allmählichen Beherrschung dessen, was Böhme: „Sprache der Natur"
nennt, zu erhalten. Die Organe der Sprache beim Menschen sind gedrittelt:
Ein innerer Apparat, der in der Brust sitzt, wo sich das Substratum des
Klangs befindet; ein übergeordneter Apparat, das Gehirn, wo sich die
Gedankenbildung abspielt; und ein mittleres Becken, die orale Höhle,
Theater des klingenden Prozess; in ihrer Aktivität repräsentiert sie also, aus
der Sicht der astralen Kräfte, den Gedanken der zwei Brennpunkte einer
Ellipse, die in der Rundung zum Zeitpunkt der Beschwörung wiederkehren:
Und noch dazu werden gewisse Erfahrungen bis in die Gegenwart bestätigt.
Um im Geist diese Erkenntnis über ihre Form im Allgemeinen
sicherzustellen, muss man eine Passage aus der „Mathese" berücksichtigen.
Den Prozess des Lebens erklärend, geht Malfatti von diesem Prinzip aus:

*„Dass die Ellipse die fundamentale Hieroglyphe der Mathese ist; dass sie
nicht nur eine Hieroglyphe des Menschen ist, sondern auch eine
universelle Hieroglyphe: Dass sie in euch ist, weil ihr in ihr seid – weil sie*

die Hieroglyphe der Schöpfung ist. "

Nun, merkt Malfatti an, ist die Ellipse (reelle Ellipse) oder ihre Manifestation, der Keim, und die ideale Ellipse, die sich in der metaphysisch-mathematischen Null vereinigen, repräsentierend für die **Dreiheit.**

„In dieser Umgebung – O – berührt man wie die ideale Ellipse oder die spirituelle Hülle, im ewiglichen vorgenesischen Kreis, und durch die reelle Ellipse oder durch die körperliche Hülle, die unendliche Sphäre der Natur. Auf die gleiche Weise, wie der Mensch seine innere Hieroglyphe öffnet, und diese, zum einen, mit dem Mittel der Stimme und des Wortes, zum anderen durch die Kunst und die Schrift zuwege bringt: Im ersten Fall, mit dem Mittel des Mundes, der sich öffnet und schließt zwischen Ellipse und Ellipsoide; zum zweiten mit dem Mittel der Hände, die sich elliptisch öffnend und schließend, in den Zehnteln der zehn Finger. Dort wo das Wort das Innere verlässt, oder die Schrift eine leere Kontur formt, beschattet, sich dort materialisierend, um selbst zu sprechen, schließt die Hieroglyphe dies in sich ein. Deshalb erscheint uns in diesem Fall die metaphysisch-mathematische Null wie ein Nichts, wie ein „nicht sein", denn im entgegen gesetzten Fall ist sie alles. "

Ursprung des Wortes: „Der Ursprung des Wortes ist im allgemeinen unbekannt. Es ist zwecklos, was die Forscher der vergangenen Jahrhunderte bis auf die versteckten Prinzipien dieses strahlenden Phänomens, das den Menschen von allen anderen ihn umgebenden Wesen unterscheidet, der seine Gedanken reflektiert, mit dem Heft des Genies bewaffnet ist und seine moralischen Fähigkeiten entwickelt, zu ergründen versucht haben. Dies alles, wozu sie fähig sind, nach all der vielen Arbeit, war eine Reihe von mehr oder weniger geistreiche Vermutungen zusammenzustellen, mehr oder weniger vermutlich fundiert in der allgemeinen physischen Natur des Menschen, die sie als unveränderlich beurteilten, und die sie als Grundlage ihrer Erfahrungen nehmen. "

So spricht der unsterbliche Verfasser von *„Die wiedererstandene hebräische Sprache"* es im §1 der Dissertation am Anfang dieses Werks einleitend aus. Seiner Prüfung folgend, fasst er zusammen und verwirft die entgegengesetzten Meinungen der Theologen und Philosophen über dieses

56

wichtige Thema, ohne von den „scholastischen Theologen, die lehren, dass der Mensch im Besitz einer voll ausgebildeten Sprache erschaffen worden ist", von anderen Wissenschaftlern zu sprechen, wie der Redner Richard Simon, sich stützend auf die Autorität des Heiligen Gregor von Vysse, die Meinung der naturalistischen Philosophen übernehmend, wie Diodore, Lukrez, J.-J. Rousseau, Locke oder Condillac, welche „die Bildung der Sprache der Natur des Menschen und dem Antrieb seiner Bedürfnisse zuschreiben."

„Eine ziemlich beträchtliche Zahl von Eingeweihten unter den Nationen wurden erfüllt von diesem Mysterium, und wenn trotz ihrer Anstrengungen diese privilegierten Menschen ihr Wissen nicht ausdrücken und sie allgemein wiedergeben konnten, liegt es an den Mitteln, den Schülern oder den günstigen Umständen, die ihnen dazu fehlten . . . Die Unterstützung hat unseren Gelehrten nicht gefehlt, es ist die Fähigkeit, sie zu erhalten. Die meisten von ihnen, die sich überlegt haben, über die Sprachen zu schreiben, wussten ebenso nicht, was eine Sprache war; denn es genügt nicht, dafür die Grammatiken studiert zu haben, oder Blut und Wasser geschwitzt zu haben, um herauszufinden, was der Unterschied zwischen einem Supinum und einem Gerundium ist. Man muss viele Idiome ergründet, sie untereinander emsig und ohne Vorurteile verglichen haben. Damit erfüllt sich durch diese Berührungspunkte ihr Geist im Besonderen, bis hin zum universellen Geist, der ihrer Bildung voransteht, und der darauf abzielt, ihnen eine einzigartige und gleiche Sprache zu geben." (Hebräische Sprache)

Die vielleicht etwas umfangreichen Auszüge, die wir übertragen haben, werden dadurch zu Zeugnisse der universellen Tradition. Sei es nun also, dass man darüber meditiert, das hebräische Tetragramm in ein Pentagramm zu übertragen, sei es, dass man die Übereinstimmung der Essenz mit denen, die die hinduistischen Schriften der Reihe nach Vishnu, Kundalini, Akasha, Nada, Kala, etc. nennt, durchschaut. Sei es endlich, dass man sich dem metaphysisch-mathematischen Konzept der chinesischen Schriftzeichen zuwendet, findet man die Bestätigung gemäß wiederholter „Unbelebtheit", dass man die zweite Personifizierung der vorschöpfungsgeschichtlichen Dreieinigkeit, welche das Wort ist, das sich manifestiert, wenn sich das Konzept realisiert. Dies ist der Grund, weshalb wir diese Studien mit einem Kapitel über Theogonie und einem anderen über okkulte Kosmogonie begonnen haben.

Fortgang des Wortes: Es geht so vor sich, dass die verbale Kraft des Menschen, im Verlauf seines Heraustretens, fortschreitend durch sukzessive Bilder auf der Oberfläche jeder seiner **drei** Körper, wiederkehrend je nach seinem Herabsteigen eine komplexe Gestalt in jeder der **fünf** Modi (Tattwas) der Existenz des Universums annimmt. Dieses Konzept, welches nicht mit einer experimentellen Grundlage versehen ist, so dass sie uns Wissenden logisch erscheinen könnte, ist die Grundlage der okkulten Theorie der Beschwörungen. Die Alten haben bewiesen, dass sie gelehrt worden sind, hauptsächlich durch die Wichtigkeit, die sie der Ausübung der Harmonie zugewiesen hatten. (Vgl. Systeme der griechischen Philosophie usw..)

*„Die vedischen Aryens haben ein grundlegendes Wissen über die Musik und ihre Wirkungen auf die **drei** Entwürfe des Universums."*
*„Es gibt **vier** Arten von Worten (Vach); danach unterrichtet der Wissende die Brahmanen in den Veden; drei unter ihnen sind verborgen, und die Letzte wird gesprochen."* *(Rig-Veda I, 164,45).*

Dies ist die Grundlage der **vierfachen** Klassifikation, die man in der Literatur in Sanskrit wiederholt antrifft, besonders in den mystischen und philosophischen Schriften. Die Wissenschaften, die den Klang und seine Anwendungen behandeln, jene über Musik, die Grammatik, das *Mantra Sastra,* übernehmen die folgende Einteilung:

Das Wort ist:	Korrespondierend im kosmischen Entwurf:
Das Letzte *(Para)*	Das Absolute *(Atma).*
Das Dazwischenliegende *(Pasyanti)*	Das Kausale *(Karana).*
Die Ansicht *(Madyama)*	Das Astrale *(Sukhsma).*
Das Ausgesprochene *(Vaikhari)*	Der Hauptteil oder die Physik (Stuhla).

Hier nun eine Beschreibung der *Iswara,* auch *Sabda Brahman* genannt, oder das Wort. Die *Veda* äußert sich wie folgt:

„Sie haben vier Hörner und drei Füße; es gibt zwei Köpfe und sieben Hände, der Stier brüllt und der große Gott steigt herab zu den Sterblichen." – *„Die vier Hörner sind die vier Arten des Wortes; die drei Füße sind die drei Zeitperioden; die zwei Köpfe sind die zwei Wesensarten des Klangs: Die Ewigliche und die Zeitliche. Die sieben Hände sind die sieben Arten der bekannten Vorsilben in der Grammatik des Sanskrit, die, die Worte verbindend, eine vergleichbare Rolle spielen, wie die der Hände des Menschen. Iswara wird mit dem Stier verglichen, weil er seinen Segen ausschüttet über jene, die ihn rufen. Er brüllt, er produziert einen Klang, manifestiert sich sozusagen auf diese Weise; dann realisiert sich der Ewige Klang im Menschen auf die Weise, dass letzteres sich wieder von neuem in das Innere dieses Wortes einfügen kann: Er ist es, der in den Menschen hineinfährt, der die Modi des Wortes kennt, von dem die Sünden durch eine vernünftige Anwendung dieses Wortes genommen werden, vorausgesetzt die Kenntnis der Sprache und sich von den Fesseln des Egoismus befreit zu haben."* *(Kayyata*: Kommentar zur *Mahabhashya* des Patandjali)

Es ist wichtig anzumerken, dass dieser Stier als mit **zwei** Köpfen und **vier** Hörnern ausgestattet beschrieben wird. Der **zweite** dieser Köpfe bezeichnet die *künstliche Sprache* und steht in Beziehung zur gesprochenen Sprache. Die **drei** anderen Austritte des Wortes sind im Übersinnlichen zu lokalisieren; ihre Entwicklung ist sozusagen okkult, so dass sie dem Menschen nicht bewusst ist, nicht mehr als die Stufen der Kenntnis, die ihnen entspricht. So drückt sich Vivanara in der „Theorie der indischen Musik" aus. Wir haben im letzten Kapitel die Details der inneren Lokalisation des Phänomens der Sprache aufgezeigt. – Für den Moment ist das, was wichtig ist eine allgemeine Sicht in Erinnerung auf diese Funktion zu behalten. Hier wie Böhme die Erschaffung eines Wortes beschreibt:

„Wenn sich ein Wunsch im Menschen bildet und sich bis zu einem freien Willen präzisiert, entwirft sich das ganze Alphabet; der Wunsch ist das Fiat – „Es Werde" – dieser Schöpfung, und der Reiz des Wunsches ist die Betrachtung des freien Willens in den Formen des Wortes der Weisheit. Es ist in diesem Spiegelbild, das sich der Wille reflektiert, um die Phantasie nach sich zu ziehen, zum Guten oder zum Schlechten. Die gemachte Reflexion, der Wille wählt die Buchstaben, ordnet sie und konkretisiert die Phantasie in einem Wort, das zuerst innen bleibt, um sich dann auszudrücken." *(Böhme, Große Myst. XXXV, 54).*

Die ganze intellektuelle Entstehung des Wortes geschieht im astralen Entwurf. Man findet eine **Dreiheit** der Erzeugung, die die Grammatiker durch die Teile des Diskurses ausgedrückt haben, in der die **drei** Hauptsätze das Thema sind, das Wort und die Ergänzung, oder um mit den Worten des Unbekannten Philosophen zu sprechen, diese **drei** Teile *„sind der Name oder das aktive Pronomen, das Wort, das die Art des Existierens ausdrückt, also die Tätigkeit des Seins, zuletzt der Name oder das passive Produkt, das das Thema oder das Produkt der Tätigkeit ist."* (Von Irrtümern, S. 474).

Auf dem gleichen astralen Entwurf beruht die Differenzierung der einzelnen Sprachen, verwendet von jedem Volk, wie die Zweige des großen Baumes der universellen Sprache.

Vom Ursprung der Sprachen. – Man muss unser Konzept nun bis zur Ewigen Natur fortführen, dem eigentlichen Ort dieser ersten Reflexion des Wortes, das sich durch das Wort im wahrsten Sinne konstituiert.

„Wenn man begreift, welchen Preis die universelle Sprache verlangt (für ihre Kenntnis), opfert man ihr den menschlichen Willen; wenn sie denen nicht verständlich ist, die sich selbst verloren haben, um Vervollkommnung an sich wirken zu lassen durch das Gesetz des aktiven und der klugen Ursache, die den Menschen beherrschen muss wie das ganze Universum; man muss erkennen, wenn sie in großer Menge erkannt wurde." (Von Irrtümern und der Wahrheit, S. 472)*
„Die Sprache der Natur ist die Wurzel aller Sprachen; sie ist nicht in der Unterschiedlichkeit der Dialekte der Erde wiederzuerkennen. Ihr Alphabet ist in der Farbe Schwarz versteckt, welche nicht in den Abstufungen der Farben zum Vorschein kommt, denn ein unergründliches Geheimnis (das Geheimnis der Tattwas!); und nur diejenigen kennen diese Sprache, denen der Heilige Geist sie enthüllt hat."* (Böhme, Mysterium Pansophicum, VII, 6).*
„Wenn du diese Sprache kennenlernen willst, betrachte, wie sie das Wort vom Herzen bis zum Mund formt, was die Sprache und die Lippen tun, wenn der Geist sie nicht heraustreten ließe. Wenn du dies begriffen hast, verstehst du alle Dinge in seinem Namen; aber dazu musst du den Fortgang der drei Prinzipien kennen, denn es gibt drei Dinge, die das Wort formen: Die Seele, der Geist und der Körper."* (Dreigeteilte Sicht, V, 85.)

„Wir können nicht leugnen, dass in unserer gleichen Missgestaltung und in unserer Entbehrung (Dieser Fehler ist der Gebrauch der sinnlichen Sprache, und diese Entbehrung der Verlust der universellen Sprache.) wir uns nicht die ausdrücklichen Zusammenhänge des Gesetzes des Seins erklären können und dass der fälschliche Gebrauch, den wir der Sprache antun, uns nicht den rechten und befriedigenden Gebrauch anzeigen, wir damit nichts anfangen können, ohne für sie die Natur zu verlassen, und dabei nur nicht die Quelle, wo diese Sprache ihren Ursprung nimmt, zu verlieren. "

„Es ist also wahr, dass, wenn die Wächter bis zu diesem geheimen und inneren Ausdruck zurückgehen, das weise Prinzip in uns handelt, bevor es sich außen manifestiert, würden sie dort den Ursprung der sinnlichen Sprache finden können, wie sie in dem wahren Prinzip war und nicht mehr in den zerbrechlichen und unvermögenden Ursachen, die sich beschränken nach ihrem geteilten Gesetz zu handeln, und die nichts mehr hervorbringen können. Sie brauchten nicht versuchen, die Tatsachen einer höheren Ordnung, die sich unabhängig von der Materie vor der Zeit ununterbrochen verwirklicht haben, durch die einfachen Gesetze der Materie zu erklären. Es ist nicht mehr die Ordnung, nicht mehr die eine Entdeckung der ersten Menschen, die sich von Zeitalter zu Zeitalter bis in unsere Tage wiederholt hat, mitten im Raum der Menschen mit dem Mittel des Beispiels und der Anweisung; wenn wir sie jedoch sehen werden, ist sie das wahre Attribut des Menschen, welches ihn dann prüft, ob er gegenüber seinem Gesetz besteht, er in ihm die Spuren erkennt, die ihn wieder bis zu seinem Ursprung bringen müssen, ob er den Mut hatte, ihnen Schritt für Schritt zu folgen und sich daran stark zu binden. " (Von Irrtümern und von der Wahrheit, S. 460.)

„Ebenso sind der Grund und der Beweis dafür, was er getan hat, dass er keine Sprache hat, im Menschen zu finden und so könnte man erkennen, durch welchen Irrtum man dazu gekommen ist, diese Wahrheit zu leugnen, und um zu sagen, dass die Sprachen nicht wie das Ergebnis des Verhaltens und der Übereinstimmung waren, ist es unvermeidlich, dass sie nicht variieren, wie alle Dinge der Erde; deshalb glaubten die Wächter, dass es davon mehrere gibt, eine wie die andere ebenso wahr wie unterschiedlich. "

„Um diesen Weg mit einer Gewissheit zu gehen, werde ich sie in Betracht ziehen, wenn ihnen nicht zwei Arten der Sprachen bekannt sind: Die eine sinnliche, beschreibende und mit dem Mittel, mit welchem sie mit ihresgleichen kommuniziert; die andere, innere, stumme, die sich immer

dann äußert, so dass sie sich äußerlich manifestieren kann, und dies ist wahr wie die Mutter . . ."

„Ich werde von ihnen dann verlangen, die Natur dieser inneren und geheimen Sprache zu untersuchen; zu sehen, dass sie ganz verschieden ist von der Stimme und dem Ausdruck des äußeren Prinzips bei ihnen, aber sie belastet sie mit ihren Gedanken und realisiert, was in ihnen geschieht."

„Nun, nachdem wir die Kenntnis haben, die uns dieses Prinzip gegeben hat, können wir wissen, wie alle Menschen durch sie geleitet werden müssen. Sie muss unter ihnen keinen Gleichschritt finden, nach dem gleichen Ziel und dem gleichen Gesetz, trotz der Wahrheit der unzähligen guten Gedanken, die sie durch diese Stimme aussprechen können."

„Dann jedoch muss dieser Schritt gleich sein, dann muss dieser geheime Ausdruck völlig eins sein, so ist gewiss, dass die Menschen, die sich nicht von der Natur entfernt haben, von den Schritten dieser inneren Sprache, all dies genauestens hören können; denn sie werden überall eine Übereinstimmung mit dem was sie in sich fühlen, finden, sie erkennen die Gleichheit und die Darstellung ihrer gleichen Gedanken, sie lernen, dass sie außer diesem auch zu dem Prinzip des Schlechten kommen, dass es nicht nur das gibt, was sie fremd erscheinen lässt; zuletzt überzeugen sie sich von einer treffenden Art der universellen Gleichheit des weisen Seins, das sich konstituiert hat."

„Dort ist es, wo sie sicherlich die wahre gebildete Sprache des Menschen wiederfinden, die überall die gleiche war, die im wesentlichen eine ist; dass sie nicht mehr variieren können wird, und dass nicht mehr zwei davon existieren, ohne dass eine besiegt und durch die andere zerstört wurde."

(Von Irrtümern und der Wahrheit, S. 454 bis 456.)

„Ich merke von neuem an, dass als immaterielles und intellektuelles Sein, der Mensch in seiner ersten Existenz die Fähigkeit einer höheren Ordnung und dadurch die wichtigen Attribute sie zu manifestieren, erhalten muss; dass diese Attribute nichts anderes sind, als die Kenntnis einer gemeinsamen Sprache unter allen denkenden Wesen; dass diese universelle Sprache ihrem Sein eingegeben wurde von einem einzigen und gleichen Prinzip, damit sie das wahre Merkmal ist; dass der Mensch nicht mehr allein seine ersten Fähigkeiten hat, da wir gesehen haben, dass er nicht allein zum Denken fähig ist, werden ihm die Fähigkeiten, die ihn begleiten, auch erhöhen, und deshalb können wir ihn nicht mehr mit dieser feststehenden und unveränderlichen Sprache sehen."

„Aber wir müssen auch wiederholen, dass er nicht die Hoffnung des

Wiedererlangens, und damit den Mut und das Ziel verloren hat, so kann er immer beanspruchen, zu seinen ersten Rechten zurückzukehren. "

„Wenn er mir erlaubt hat, daraus die Beweise zu zitieren, werde ich sehen, dass die Erde damit erfüllt ist, und dann, wie die Welt existiert, und es gibt eine Sprache, die nicht mehr verloren ist, die sich auch nicht in der materiellen Welt verlieren wird, weshalb sie also vereinfacht sein muss. Ich werde sehen, dass Menschen aller Nationen davon Kenntnis haben; dass einige von ihnen Jahrzehnte getrennt sind, genauso wie ihre Zeitgenossen, wenn auch in bemerkenswerter Entfernung, werden sie verstanden werden durch das Mittel dieser universellen und unvergänglichen Sprache. "

„Man erfährt durch diese Sprache, wie die wahren Gesetzgeber geleitet werden durch Gesetze und Prinzipien, wodurch sie durch alle Zeiten die Menschen führten, die die Gerechtigkeit besaßen, und indem sie ihren Schritt diesen Modellen anpassten, hatten sie die Gewissheit, dass sie nicht gemaßregelt wurden. Man findet dort auch die wahren militärischen Prinzipien, die die großen Generäle die Kenntnis gewinnen ließ, und die sie bei jedem Erfolg in den Schlachten beschäftigt hat. "

„Sie wird den Schlüssel zu allen Berechnungen geben, die Kenntnis der Konstruktion und der Aufteilung des Seins, desgleichen wie seine Wiedereingliederung. Sie wird bekannt machen mit den Tugenden des Nordens, dem Grund der Abweichung der Kompassnadel, der Erde der Urzeit, Objekt der Begierde des Anwärters auf die okkulte Philosophie. Zuletzt, ohne dort ins genauere Detail seiner Vorteile zu gehen, fürchte ich nicht mehr zu versichern, dass diejenigen, die sie sich verschaffen können, ohne Zahl sind, und dass es nicht ein Wesen gibt, von dem seine Macht und seine Flamme nicht wahrgenommen werden kann. "

„Aber andererseits werde ich mich nicht dem Nachteil dieser Sache eröffnen können, ohne mein Versprechen und meine Pflicht zu versäumen, und es wäre sehr unüblich, dass ich davon nicht deutlich spräche, weil meine Worte für jene verloren wären, die ihren Blick nicht auf diese Seite gewendet haben, und die Zahl derer ist unendlich. "

„Was jene betrifft, die auf dem Weg der Wissenschaft, welche ich ihnen oft genannt haben werde, sind, ohne dass es notwendig sei, für sie eine andere Ecke der Hülle zu lüften. "

„Alles was ich bis hierher also getan habe, um die universellen Gemeinsamkeiten der Prinzipien aufzuzeigen, die ich begründet habe, ist meine Leser zu bitten, sich wieder zu erinnern an dieses Buch der zehn Blätter, das dem Menschen bei seinem ersten Ursprung gegeben wurde,

und das er ebenso bewahrt hat nach seiner zweiten Geburt, obwohl man ihm die Intelligenz und den wahren Schlüssel genommen hat. Ich gab sie dann zur Untersuchung der Wiederbringung, so dass sie unter den Eigenschaften dieses Buches und jenen der festgelegten und einzigen Sprache wahrgenommen werden können; zu sehen, ob es unter ihnen nicht eine sehr große Affinität gibt, und um zu versuchen das eine durch das andere zu erläutern: Denn es ist dort wirkungsvoll, wo sich der Schlüssel der Wissenschaft befinden wird, und wenn das Buch alle Kenntnisse wieder in Frage stellt, so dass man seine Herkunft gesehen hat, ist die Sprache, die wir sprechen, das wahre Alphabet" (Von Irrtümern, S. 466-469.)

Hier nun, wie dieses Alphabet gebildet wird: *„Die Zahl Zwölf kennt zwei Reiche: eins der Engel und eins der Menschen; diese zwei Reiche kennen wiederum jedes zwei Gebiete: Eins, feurig, Sitz der Tiefe, das andere windig, Reich der Tiere und der irdischen Wesen. Das Zentrum eines jeden dieser Gebiete bringt die andere hervor; irdisch oder feurig, nach den Planeten: Also bringen sie die Zahl vierundzwanzig hervor. Das ist der Ursprung der Buchstaben des Alphabets"* (Böhme, Von der dreigeteilten Sicht des Menschen, IX, 67.)

Wir finden diese Gruppierung durch vier Buchstaben des Alphabets in dem Bericht unserer Erfahrungen mit der Form und des Farbe des Klangs wieder.

*„Die Geister der Buchstaben des Alphabets sind die Formen des einen Geistes der natürlichen Sprache; die **fünf** Vokale repräsentieren den heiligen Namen Gottes. Denn JEHOVAH ist nichts anderes als A, E, I, O, U. Die anderen Buchstaben bezeichnen und drücken das aus, was der Name Gottes in der Natur ist; in der Liebe, wie im Zorn, in der Finsternis, wie im Licht. Die fünf Vokale drücken aus, was Gott im Glanz seiner Heiligkeit, denn in ihnen ist, wie die Natur die Tinktur bildet."* (Böhme, Große Myst, XXXV, 49.)
„Jeder Buchstabe ist eine Form des Zentrums und deshalb verändern sich die Worte durch ihre Vertauschung wobei jeder von ihnen seinen Ursprung im Zentrum hat."(Ebd., Dreigeteilte Sicht, V, 88)
„Die Buchstaben haben alle eine einzige Wurzel, die der Geist Gottes ist und diese Buchstaben sind die Engel." (Ebd., Von der Wiedererstehung, VII, 7.)

„Die Sprache Gottes, wird sie geschrieben, bedeutet den Heilige Geist zu verstehen." (Aurora, XVIII, 93.)
„Dies sind Jehovah und Jesus, die seine Macht jeder Sprache geben, denn der Sohn Gottes ist das Wort, der Glanz des Fiat." (Drei Prinzipien, VIII, 9.)

Hier sind wir nun also auf dem höchsten Punkt angelangt, im sogenannten Zentrum, wo sich der gesamte Wille befinden muss, um sich zur Tat zu versammeln. Wir glauben, dass diese kurzen Andeutungen genügen können, um eine allgemeine Vorstellung der logosophischen Fähigkeiten im Menschen zu geben. Ihr Studium, das wir ohne Hochmut empfehlen können, wenn diese Seiten nicht so sehr angefüllt sind mit Zitaten, wird dadurch eine weiterführende Analyse voranzutreiben erlauben, die eine noch fruchtbarere und ermutigendere Anwendung erlaubt.

4. KAPITEL

DIE STIMME BRAHMAS

Hinduistische Tradition. Die Mantras. Definition. Tugenden.
Komposition. Bibliographie.

Die okzidentale Tradition besitzt, so wie die orientale, eine praktische
Wissenschaft des synthetisierten Wortes in den quabbalistischen
Anrufungen, worin man die Theorie in den berühmten „Gesängen der
Gesänge" wiederfindet; das Prinzip der hebräischen Sprache – im
figurativen und reinen Sinne in seiner Hieroglyphe – verkompliziert das
Studium dieser Sichtweise derart, dass eine Wiederherstellung der
magischen Sprache der *Clavicules* ein noch längeres Unternehmen
verlangen würde, um es zu begreifen und zu realisieren. In Indien
klassifiziert man die Kräfte der vollständigen Einweihung, genauso wie in
den anderen Tempeln, wie sich das Sein anwendet auf das Nicht-Ich und
das Ich. Jene der Kategorie ist unter dem Namen *Gupta-Vidya* oder
Geheimwissenschaften bekannt, jene der Zweiten beinhaltet die
verschiedenen Systeme des *Yoga* oder der Einheit. Einige gehen anderen in
der Askese des Neophyten [Neuling, Schüler] voraus; sie kann rein
spirituell sein (*Raja-Yoga*) oder belebt, erleuchtend *(Bhakti-Yoga),*
physikalisch *(Hatha-Yoga)* oder auch klanglich *(Laya-Yoga).* Diese letzte
Übung besteht in der Identifikation des Mentalen durch die physikalischen
Klänge, die auf zehn Klassen aufgeteilt sind; dieser Prozess endet in der
Zusammenfassung des ursprünglichen Klanges, *AUM,* dem Logos. Die
Geheimwissenschaft ist im Wesentlichen die Wissenschaft der Stütze der
Phänomenologie. Sie ist dreigeteilt und in der *Atma-Vidya*
zusammengefasst, der Kenntnis des Absoluten. Die Heilige Wissenschaft
(Yajna-Vidya) ist die Kenntnis der okkulten Kräfte, die in der Natur durch
religiöse Riten erweckt werden können. Die Große Wissenschaft (*Maha
Vidya)* ist die natürliche Magie in allen ihren Ausformungen. Also ist die
Gupta-Vidya die Wissenschaft der mystischen Kräfte des Klangs und der
Mantras. Sie ist es, die das Thema dieses Kapitels sein wird. Wir waren der
Meinung, dass es für die Deutlichkeit der Erläuterung von hohem Wert sei,
die Form in der arischen Tradition zu suchen, wo sie sich in jedem Schritt

findet, und wo sie unter dem alleinigen Aspekt des Klangs gelehrt wird. Die beste Arbeit, die wir zu diesem Thema gelesen haben, ist ein Vortrag von M. S.-E. Gopalacharlu, vorgetragen 1891 beim jährlichen Konvent der Theosophischen Vereinigung in Madras. Wir haben nicht gezögert, sie in allen Details zu analysieren und wir sind sicher, dass unsere Leser mit uns die Gelehrsamkeit des „Pandit" bewundern werden, und die Klarheit, mit der er die Ausführungen der auch verwirrenden Themen einzuleiten gewusst hat. (aus dem „*Theosophist*")

I. VON DER NATUR DER MANTRAS

„Es ist durchaus sicher", sagt er, „dass ich heute diese Bühne betreten habe, um Ihnen meine Ansichten über ein Thema darzulegen, das nicht schon erschöpfend in zahlreichen Essays behandelt wurde. Ich will Ihnen nicht das Ergebnis meiner eigenen Studien in dieser Richtung präsentieren, sondern sie zur Beurteilung aussetzen und der Korrektur durch meine weit in dieser Hinsicht fortgeschrittenen Mitschüler.
Also will ich Ihnen, wegen der geringen Zeit, die zur Verfügung steht, nicht zeigen, wie weitreichend dieses Thema ist. Es ist unmöglich für ein einzelnes Individuum, alle inhaltlichen Aussagen in den drei Millionen siebenhunderttausend Versen, aus denen sich die Originalwerke, die Mantras behandelnd und Agamas genannt, zusammensetzen, zu erfassen, ohne viele andere Werke aufzuzählen, die zur Zeit vermutlich vergessen sind. Diese Schriften erläutern alle Phasen des Okkultismus sowie ihre theoretische Kenntnis und seine seriöse Anwendung, praktiziert von den Höchsten unter Ihnen.
Ich muss nicht sehr darauf bestehen, meine Hauptquellen zu zitieren, wegen des Zustands, durch den wir nicht fähig gewesen sind die Gedanken der Vorfahren korrekt zu formulieren und ihnen abschließend unsere persönliche Meinung hinzuzufügen, ohne sie durch die Prüfung der Arbeiten unserer Anführer unter Kontrolle zu haben. Die Behauptung ist in Wahrheit nicht tiefgründig zu widerlegen. Deshalb habe ich mein Möglichstes getan, um meine Äußerungen durch sehr angesehene Schriften zu belegen . . .
Die Wichtigkeit des Klangs wurde hervorragend von dem Dichter der Rig-Veda beschrieben, wenn er sagt: „Alle Klänge teilen sich in **vier** *Gruppen: Also diejenigen, in denen die Brahmanen in der Veda unterrichtet werden; drei unter ihnen sind verborgen; der letzte wird gesprochen."*

*Diese Lehre hat den Anlass zu einer **viergeteilten** Klassifizierung gegeben. Die Veden sind durch **vier** geteilt worden: Die Vedisten - sozusagen in dem Sinn, dass Yaska diesen Begriff belegt, die alten vedischen Meister - vorausgesetzt, dass die Pravana (OM) und die drei Mantren, die Vyahritis (Bhuh, Bhuvah und Suvah – das sind die drei Welten) genannt werden, angezeigt werden; die Philologen betrachten dieselbe Passage als sich auf die grammatikalischen Begriffe nama, akhyata, upasargas und nipata beziehend, die Schüler der Schule von Nirukta interpretieren sie als die der Veden bezeichnend und als die gesprochenen Worte der Welt. Die Lernenden des Mantrasastra hören nur diese letzten Aussagen, diesen Stufen der Sprache den endgültigen Namen gebend, um die Sicht und die Aussprache zu vermitteln (Dieses Mantra formt den 43. Gesang der 161. Sukta des 22. Anuvaka des 1. Mandala der Rig-Veda. Diese Sukta enthält 52 Gesänge wovon Rishi Dirghatamas ist. Die 41 ersten Mantras sind an Visvadevas gerichtet; die 42. und 45. an Vagdevi, dem, so sagt Sayana Charya, Sein des Logos. Sehen Sie für weitere Details die Yogasikopanishad).*

Diese letzte Interpretation ist der Ausgangspunkt der Theorie der Mantras. Die Kraft des Klangs ist von den antiken Verfassern mit sehr geschickten Begriffen beschrieben worden, und besonders von Patanjali selbst, dem sehr bekannten Autoren der Yoga Sutras aus seinem besonders guten Werk, der Mahabhayashya, erläutert in dem philologischen Code von Panini."

Hier zusammenfassend, der genetische Prozess der Mantras:

Brahma		*Bidja*
unter seinem Aspekt		*(Artikulation) = Shakti*
des Bindu (der Keim)	*verbindet sich mit*	*oder Prakriti*

Nada
ihr Sohn
oder Sabdabrahma
der Klang, der Logos.

Gewisse Okkultisten stimmen zu, dass die Kräfte durch die Beschwörungen geweckt, vom Logos abhängig sind; andere bezeichnen die Shakti als ihren Ursprung, festgelegt in der Sabdabrahma, der Fähigkeit des Bewusstseins, die im Menschen durch die Große Schlange symbolisiert ist.

*Bindu hat, als Erscheinung, **vier** Formen: Sadavisa, Rudra, Vishnu, Brahma. Shakti erscheint zunächst als Mahat, die kosmische Verwirklichung.*

Mahat handelt nach ihren drei Eigenschaften

1. Licht (Sattva) aufsteigende Tendenz

2. Aktivität (Rajas) dispersive Tendenz

3.Finsternis (Tamas) absteigende Tendenz

*Auf diesen beruhen die unterschiedlichen Klassen der Individualitäten (Ahankara). Diese **drei** Individualitäten bewirken die **zehn** Richtungen, die **zehn** Sinne, und die großen Elemente; jene also, enthalten die **fünf** Elemente, bekannt unter den folgenden Symbolen, die da heißen der Äther, das Feuer und die Erde, vertikal dann noch die Luft und das Wasser."*

DIE ELEMENTE

Wir haben gesehen, dass der Klang sich im Menschen ausbreitet, ursprünglich von der Großen Schlange – Weisheit! – kommend. Alle unterschiedlichen Klänge werden mystisch symbolisiert durch die **fünf** Buchstaben des Alphabetes des Sanskrit; für die Sänger ist der Klang, die Anrufung eines Objekts, identisch mit dem Objekt selbst. Hier, wie Patanjali diese Theorie in seinen Kommentaren der Sutras von Panini über die Grammatik und die Philologie des Sanskrit formuliert.

„ Unter den Worten (real oder spirituell) sind die einen wie Tier, Gebäude, Mensch und Brahma; die anderen sind solche, wie die Agnimilai Purohitam (und solche anderen Passagen der Veden). Nehmen wir als Beispiel das Wort „Tier". Was ist dieses Wort? Das, was in der Hülle einer Form von Haut [Fell], mit Beinen, Maul, Schweif, Hörnern ist, ist das dieses Wort? Nein, antwortet Panini; dies ist kein Wort, sondern in Wahrheit eine Substanz; — dann, die Bewegung, die Verformung, der Gang, ist dort das Wort zu finden? Nein, erwidert er, das sind die Tätigkeiten. – Aber das Schwarze, das Weiße, das Braune, das Verunreinigte, ist das das Wort? Nein, sagt er wieder, das sind Eigenschaften. – Wenn also die Unterschiede festgelegt sind, die Dinge nicht zerstört werden, die durch Zerfall verschwinden, die alle gemeinsam existieren, ist das das Wort? Nein, all dies ist die Form. – Was ist dann das Wort? Ein Wort ist das, was durch seine Aussprache Kenntnis von einer Sache vermittelt, die mit Haut, Hufen, Kopf, Ohren und Hörnern versehen ist; ein Geräusch in einem Bewegungsablauf ist ein Wort. "

Der Kommentator Kayyata erklärt diese Passage so, dass man eine erhabene Sicht erhält. Die große Schlange, haben wir gesagt, beinhaltet die fünf Buchstaben, und der ursprüngliche Klang ist der des *OM,* dass im Herzen – Akasha – entsteht. Die okkulten Studien erlauben dahin kommend dies zu hören, und dadurch die gesamten Beschwörungen zu beherrschen. Sich entwickelnd, um die physische Existenz zu erreichen, braucht der Klang das, was wir die astralen Kräfte, die *Nadis* genannt haben; und sich spezialisierend, durch die **fünf** Buchstaben des Sanskrit, kehrt es zu den **drei** höchsten dieser Nadis in der vorherigen Art zurück.

Nadi (Mond-Ida) Schwache Buchstaben (Soumya) wie A bis AH.

Nadi (Sonne-Pingala) Buchstaben der belebten (Pranis) oder feurigen Schöpfung, die fünfundzwanzig Elemente von KA bis MA.

Nadi Δ (Sushumna) Buchstaben des *Vyapakas,* kombiniert aus zwei vorangegangenen Reihen; die Wirkung die von den sie umgebenden ausgeht, ist sehr wichtig im Text einer Beschwörung, von YA bis KSHA. In diesem physischen Plan teilen sich diese Buchstaben durch elementare Korrespondenz ein, in der folgenden Art:

Luft: ka, kha, ga, gha, nga, ä, a, ri, ah, sha, ya.

Feuer: tcha, chaha, dja, djha, gna, i, i, ri, ksha, ra.

Erde: ta, tä, da, dä, na, ou, oü, Ii, va, la.

Wasser: tha, thaha, dha, dhaha, na, e, i, Ii, sa.

Äther: pa, pha, ba, bha, ma, ö, ou, am, ah.

Die Zahl der Silben eines Mantra kann von einer bis tausend variieren; die Mantras mit einer, zwei oder drei Silben sind genau die Klänge, verbunden mit der Sicht eines gewissen Resultats; diese, wovon das Hörbare weniger als **fünf** Silben hat, können sich nicht zerteilen, weil sie keine Artikulation beinhalten. Die anderen können analysiert werden: 1. die Silbe OM; 2. die *Bidja,* oder begrenzte Artikulation, die das Objekt des Mantra anzeigt; 3. der Name der Gottheit, die man anrufen will. Nicht alle Mantras beginnen mit OM, jedoch sind dies solche, die in einen Charakter der Kraft und der Heiligkeit gekleidet sind.

Hier eine Übersicht, die die Objekte der Mantras wiedergibt, ihr Geschlecht und ihre Benennung.

OBJEKT	BENENNUNG	GESCHLECHT (1)	
1. Unterwerfung *(yasya)*	Hum	männlich	
2. Anziehungskraft *(akarshana)*	Hum	ebenso	Vor dem
3. Bezauberung *(mohana)*	Namah	sächlich	Alter von
4. Erstaunen *(sthambhana)*	Namah	ebenso	16 Jahren
5. Erschaffung der Feindschaft *(vidveshana)*	Namah	ebenso	zu praktizieren
6. Tod *(marana)*	Phat	männlich	
7. Verfall *(ontchana)*	Hum	ebenso	
8 Beruhigung *(apyayam)*	Voushat	weiblich	Zu praktizieren im Alter über 16 Jahren

(1) Gewisse Schulen bezeichnen alle Mantras als männlich. Laut den anderen ist die Bezeichnung *souaha* weiblich, genauso wie die Mantras mit nur einer Silbe und noch mehr jenen mit nur einem Buchstaben.

MANTRAS TÄTIG GEGEN PHANTOME

Diese *Mantras* können keine vedischen sein. Wir merken sofort, dass bei dieser Form der Beschwörung die Auflistung ihrer Gebrauchsformen *(Phala S'ruti)* gebunden ist. Die Puranas zählen diese Auflistungen sorgfältigst auf. Das Ende des VI. Gesangs der Ramayana ist eine dieser Auflistungen. Eines der wichtigsten Werke über die Mantras nennt sich *Lalita Sahasranama.* Die tausend Aspekte der *Devi* sind dort aufgezeigt: Jedes Wort des Buches repräsentiert einen Aspekt dieser Göttin. Jeder Buchstabe hat einen „freien Sinn" und alle diese Worte sind eine Beschwörung und ein besonderes Schema *(yantra).* (D'ap. R. Anantakrishna Shastri, in *Theosophist,* Oktober und Dezember 1894)

Die Zahl der Mantras des Sanskrit wird im allgemeinen in sieben Kreisen gezählt. Die Gesamtzahl beträgt 67.108.863. Jedes Mantra, welches seine Länge hat, muss einem der 26 Rhythmen der Prosodie des Sanskrit angehören. Es gibt davon sechsundzwanzig verschiedene Fassungen die Klänge zu kombinieren, einen zu einem, zwei zu zweien, drei zu dreien, etc.. Die Gesamtzahl der Kombinationen wäre, laut den bekannten Regeln der Algebra: $2^{26} - 1 = 67108863$.

Sektion II. OKKULTE KORRESPONDENZEN

Eine der geheimsten Korrespondenzen der Mantras zwischen dem objektivem Plan und den übergeordneten Plänen, wird in Sanskrit *Bidjas* genannt. Die Praktizierung der Beschwörungen basiert auf dieser Theorie, dass gewisse Klänge, wie man sie ausspricht, im Äther eine Vibration produzieren, die, wenn sie ausreichend „aktiv" bzw. „dynamisch" ist, sich bis ins mehr als millionenfache fortpflanzen kann. Die Natur dieser Vibration kann nicht unter dem Gesichtspunkt der ordinären Physik untersucht werden. All das, was wir sagen können ist, dass solche Klänge, genannt *Bidjaksharas,* nach ihrer Wirkung eingeteilt worden sind; die latenten Kräfte in den Buchstaben sind die *Bidjas* und alle Buchstaben des Alphabets des Sanskrit handeln nach dieser Eigentümlichkeit. Ihre Kraft kann auf dreifachem Gesichtspunkt Vishnus, Shivas und Shaktis studiert werden. Diese Bezeichnungen setzen sich aus vielfachen Kräften zusammen, die man durch die Analyse des Mantras unterteilen kann. Die Schriften, die diese Wissenschaft behandeln *(Agamas* genannt), dienen dazu, eine konventionelle Phraseologie zu beschreiben. Hier ein Beispiel um den Sinn dieser Vorschrift zu erkennen: „Verbinde Mandala und Vishnu". Man muss Mandala nicht als Namen des Baums, den das Wort bezeichnet, nehmen. Dies bedeutet, dass der magische Klang „ra" eins sein muss mit dem magischen Klang *(Bidjakshara)* Vishnus „a" und sich „ara" ausspricht. Man sieht, dass zum Verständnis jener Schriften eine vorangegangene Einweihung notwendig ist. Das vorherige Beispiel hat den genaueren Namen von *Manthrodhara* erhalten. Unter den Anwendungsarten der *Bidjaksharas* kann man diejenigen aufzeigen, die aus einem Vers bestehen, d. h. das Vortragen von Versen hat die Erschaffung eines physischen Phänomens zum Ergebnis, vorausgesetzt aber, der Sänger ist mit **genügend okkulten Kräften begabt,** das beginnende Mantra zu beherrschen. Man findet solche Verse in den Werken der Kalidasa. Keine genaue Lehre findet sich leider in den *Mantras Sastras,* was die Zusammenhänge der magischen Formeln betrifft, und die Kräfte, die sie symbolisieren. Sie sagen zum Beispiel nur, dass diese Kräfte *(devatas)* zwei Formen haben: Die des Mantras und die des physischen Körpers: Jedoch kann man aus den überlieferten Erkenntnissen durch die *Mantras Sastras* und dem berühmten Kommentar des Sankaratcharya über die Brahma Sutras (I, 3, 33) folgern, dass ein Devata eine Form annehmen kann, welche sein Erscheinungsbild bekommt. Es gibt weitere beabsichtigt verborgene Geheimnisse in der Praktizierung von Mantras. Eines von ihnen ist die Einfügung eines Fehlers (Mangels), der die Kraft der Beschwörung aufhebt. Es gibt fünfzig dieser Fehler; darunter die vier Wichtigsten:

1. gebrochenes Mantra *(tchhinna):* Beinhaltet eine „Luft"-Silbe, *(ya)* am Beginn, in der Mitte oder am Ende; oder es enthält einen Doppellaut *(kma* zum Beispiel), oder drei, vier oder fünf Vokale.
2. verzögertes Mantra *(Rouddha):* Enthält eine „Erd"-Silbe *(ta)* zweimal aufeinander folgend.
3. machtloses Mantra *(Saktihina)* worin sich keine Silbe Mayas *(i)* findet, keine des Sri *(Srim),* kein AUM.
4. unterdrücktes Mantra *(Badhira):* Beginnt und endet durch ein *anusuara.* Die große Zahl der Silben ist gleichermaßen fehlerhaft. Hilfe gegen diese Fehler gibt es zehn an der Zahl *(Dasa Samskaras).* Hier die Auflistung:

1.Entstehung *(Djanana):* Teilung der Buchstaben eines Mantras; das Mantra wird vor dem „Sprechen" in einem gezeichneten Diagramm aufgeschlüsselt und der Wille auf dieses „Symbol" gerichtet. Dieses Verfahren konzentriert die Funktion des Mantras in höchstem Maße.

2.Regeneration *(Djivana):* Fortgesetztes ausstoßen (sprechen) des Mantras und der heiligen Silbe.

3.Schlag *(Thadana):* Aufschreiben des Mantras auf das Blatt z. B. einer Birke *(Bhurdjapatra)* und nach dem Betrachten den Willen darauf eine gewisse Zeit lang konzentrieren, seine Kräfte anrufen und sie durch einen „verzauberten Schlüssel" und einen vorteilhaften Duft wie Sandelholz erwecken.

4.*Bodhana* ist der Prozess, durch welchen der Devata, nachdem er erweckt worden ist, zu einer durch das genaue entblättern von Nerium odorata Blüten geleitet wird *(Karavira).*

5.Abhisheka stimmt den Devata milder gegenüber den Wünschen des Handelnden durch besprengen mit Wasser, das mittels der Mantren Om, Hrim, Klim, Aim verzaubert (geweiht) wurde oder durch die Entblätterung eines jungen Triebes einer Pappel.

Die vorangegangenen Rituale haben den Zweck, den Devata zu besänftigen und zu ehren. Die drei folgenden beheben die Mängel, welche sind:

6.*Vimalikarana* (Entfernung des Makels): Rezitation des vorangegangenen Mantras mit jeweiligem Fortsetzen durch die Worte *Hamsa* und *Soham.*

7.*Apyayana:* Harmonisierung wird durch versprengen verzauberten Wassers mit einem Büschel heiliger Kräuter während der Rezitation des Mantras bewirkt.

8.*Tarpana:* Besprengung des Blattes auf dem das Mantra geschrieben steht mit verzauberter Milch, geklärter Butter und einem Gemisch aus Ghee und Wasser.

Man muss nun den Devata zum Erscheinen so anregen, dass er das erfüllt, was man von ihm erwartet. Um dieses Resultat zu erreichen, muss man folgendes vollziehen:

9.*Dipana:* Die Silben Om, Im, Sam einige Male mit dem Mantra aussprechen.

10.*Gopana.* Sorgfältiger Schutz des Handelnden.

ABSCHNITT III – PRAKTIZIEREN DES MANTRAS

Die Praktik des Mantras (Purascharana) wird von einer Abfolge von fünf

74

notwendigen Handlungen *(angas)* begleitet, um die Beherrschung der Beschwörung zu erreichen. Nach den Vorbereitungen muss man sicher gehen, dass diese Praktik fruchtbar oder nützlich für den Ausführenden sein wird und dann einen bevorzugten Tag für die Zeremonie der Einweihung wählen. Sehen wir nun, welches die Mittel der Sicherung sind, ob das Karma zur Verwirklichung geeignet ist. Nichts vermag das Festhalten des Karmas zu modifizieren, wenn es nicht die freie Entscheidung ist, den mystischen Tod anzunehmen, der vor den *shastras,* das asketische Leben zu führen als eine zweite Geburt erfordert. Deshalb vergisst der *Sannyasin* sein gesamtes vorangegangenes Leben und nimmt einen anderen Namen an. Ein Astrologe kann hinzugezogen werden, um herauszufinden, welchen besonderen Abschnitt des Lebens man zur Beherrschung der Befragung des Mantras bevorzugen kann. Daraus folgt, dass man ein dem Mantra zugehöriges Problem zur Frage stellen muss. Wie die Rezitation durchgeführt werden muss, ist in den Büchern angegeben: Aber mit anderen Worten, zu wissen, ob der Ausführende bereits in seiner voranschreitenden **Menschwerdung** dieses Mantra praktizieren kann und ob er dadurch Erfolg erlangen wird. Die Methode der Lösung dieses Problems wird technisch *Ranaranyabhava* genannt. Sie ist dreigeteilt und basiert auf der Benennung des Individuums.

1.Methode. – Zähle, wie viele Buchstaben in der Reihenfolge des Alphabet des Sanskrit den ersten Buchstaben des Mantras und den Ersten des Namens des Ausführenden voneinander trennen. Multipliziere diese Zahl mit drei, teile sie durch sieben und das was übrig bleibt, ergibt was das Mantra aussagt. Dann zähle vom ersten Buchstaben des Namens des Ausführenden bis zum ersten Buchstaben des Mantras. Multipliziere diese Zahl mit sieben und teile sie durch drei, das, was übrig bleibt, ergibt, was man dem Mantra zusagt. Die Addition der zwei Ergebnisse zeigt an, wie oft man die vorgeschriebene Zeremonie wiederholen muss.
2.Methode. – Zeichne eine Figur aus dreiundsechzig Quadraten. Schreibe dort die neun ersten Zahlen in der folgenden Art und Weise hinein: Angenommen das zu studierende Mantra beginnt mit dem Buchstaben des dritten Feldes, und der Name des Ausführenden mit dem Buchstaben des vierten Feldes; gemeinsam überlappen sie die ersten drei Felder . Die übergeordnete Rangordnung der Buchstaben ergibt sich aus dem Mantra, und die untergeordnete Rangordnung aus dem eigenen Namen. Um herauszufinden, wie häufig das ausgesprochene Mantra „gesagt wird",

multiplizieren wir drei mit vier. Wir teilen das Produkt durch sechs; es ergibt keinen Rest. Das Mantra ist für den Ausführenden unwirksam. Wenn dieselben Operationen in anderer Reihenfolge ausgeführt werden, erhält man einen Rest, zwei, der die Notwendigkeit einer zweifachen Wiederholung der rituellen Zeremonie zur Beherrschung des Mantras anzeigt.

I	II	III	IV	V	VI	VII	VIII	IX
1 अ	2 आ	3 इ	4 ई	5 उ	6 ऊ	7 ए	8 ऐ	9 ओ
10 औ	11 अं	12 अः	13 क	14 ख	15 ग	16 घ	17 ङ	18 च
19 छ	20 ज	21 झ	22 ञ	23 ट	24 ठ	25 ड	26 ढ	27 ण
28 त	29 द	30 द	31 ध	32 न	33 प	34 फ	35 ब	36 भ
37 म	38 य	39 र	40 ळ	41 व	42 श	43 ष	44 स	45 ह
IX	VIII	VII	VI	V	IV	III	II	I

3.Methode. – Sie besteht aus bestimmten arithmetischen Handlungen um die Zahl der Buchstaben des Namens des Mantras oder der Person herum. Sie ist sehr kompliziert und sehr lang andauernd auszuführen. Man findet sie in voller Länge niedergeschrieben im *Mantramahodathi*.

Diese Methoden ergeben keine Beziehung einer Person zu einem bestimmten Mantra. Während die Ausübung des sich entwickelnden Themas Auskunft gibt über die allgemeine Beschaffenheit des Individuums als Magier. Es existieren andere Methoden, um zum gleichen Resultat zu kommen. Ich beschreibe sie nicht, es fehlt die Zeit dafür und man möge mir erlauben, sofort mit der Suche nach den geeigneten Tagen dieser Tätigkeit fortzufahren. Man muss sich zuerst des Mitwirkens eines Beschwörenden versichern, der selbst bereit ist, das Mantra zu leiten. Dieser Lehrer muss, am Tage der Zeremonie dem Devata den geeigneten Kult erweisen. Diesen verschließt er in einem mit Wasser gefülltem Gefäß und dynamisiert durch die **fünf** Edelsteine (Diamant, Rubin, Saphir, Smaragd und Katzenauge) die Kraft des Mantras. Er führe in Anwesenheit des Schülers hundert Opfergaben an das Feuer aus, mit Ghee oder speziellen Ölen. Er fülle Wasser in ein kleineres Gefäß und verschließe es mit der rechten, flach gehaltenen Hand, er wiederhole das Mantra achthundert Mal. Der Schüler wird mit diesem Wasser gewaschen; das Gefäß völlig geleert und das Mantra in das Ohr des Schülers gesprochen. Nun ist es am Schüler, das Mantra auszuführen. Einige Monate sind für diese Tätigkeit zu bevorzugen. Jener des Zwillings ist sehr geeignet, ebenso wie der des Schützen; jene des Stiers, des Steinbocks und des Krebses sind es weniger; wie Löwe, Jungfrau und Steinbock. Die anderen Monate sind nicht brauchbar. Der Tag des Vollmondes, der zweite, fünfte, sechste, siebte, zehnte, zwölfte und dreizehnte und der Tag des Halbmondes sind gut. Der Zeitraum des zunehmenden Mondes gibt materielle Vorteile, und der abnehmende Mond spirituelle Vorteile. Die anderen Tage lasse man außer Acht. Hier noch weitere heilige Tage: Der sechste einer Hälfte der Waage; der Dreizehnte der dunkle Hälfte des Skorpions; der Neunte der hellen Hälfte des Schützen; der Erste der dunklen Hälfte Jungfrau. Man stuft diese Tage als „heilig für die Götter" ein *(Devaparvas)*. Unter den Tagen der Woche trägt der Dienstag den Verlust, der Samstag den Tod und der Montag in einer vierzehntägigen Dunkelheit ist ohne Wirksamkeit. Die anderen Tage sind gut. Unter den Konstellationen Aswine, Rohini, Hasta, Suati, Visakha, Djyeshta, Utharashadha, Uttarabhadra und Uttaraphalgouini sind sie am besten. Am Tag einer Mondfinsternis wird keine Vorsichtsmaßnahme befolgt.

Das Mantra soll von seinen Mängeln befreit sein. Der junge Schüler soll Wache über seine Tätigkeiten halten. Am Mittag fasse er den Entschluss, auf keinen Fall den Ort zu verlassen, an dem er sich aufhält, ohne sein Ziel erreicht zu haben: Er muss sexuellen Beziehungen, den Salbungen mit Öl, den fremden Studien, den nutzlosen Reden, den Mittagsmahlzeiten entsagen. Er solle sich zu früher Stunde erheben und alle seine alltäglichen und religiösen Pflichten erfüllen. Er zeichne dann die Figur einer Schildkröte auf den Boden, die die Buchstaben des Alphabets des Sanskrits trägt, wie auf der Abbildung angegeben, und beginne mit der Erfüllung der fünf Pfade.

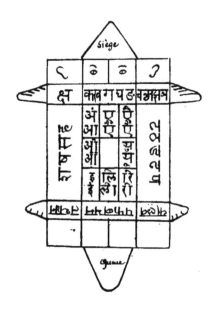

Das Opfer muss mit der Blume ‚Buka frondosa" *(palasa)* durchgeführt werden, wenn man die Absicht hat, die Wissenschaft zu erlernen. Mit den Ästen des Feigenbaums *(aswatta)*, wenn man sein astrales Licht vermehren will; für die Fragen des Alters bemüht man verschiedene Kräuter *(dharbha);* für die Herrschaft gekochten Reis und Ghee; gebratener Reis bewirkt Erfolg in der Liebe; Blätter der *Vilva* bringen Ruhm; Samen der *putrandjovi* Fruchtbarkeit; Sesamähren bekämpfen Krankheit und Blüten geben Wohlstand. Die *Tarpana* besteht aus der Mischung einer kleinen Menge Milch und Ghee mit Wasser und diese Mischung lasse man durch die Finger laufen; man wiederhole regelmäßig das Mantra des Wortes „svaha". Die Besprengung *(mardjana)* erfolgt durch Wasser gemischt mit etwas Milch, das man sich auf den Kopf mit einem Wedel aus Kräutern träufelt, während man im Geiste den Gott des Mantras anruft. Der Experimentator braucht keine Mittagsmahlzeit zur ausreichenden Unterstützung. Die Abfolge der Zeremonie wiederholt sich an so vielen Tagen wie es jedes Mantra angibt. Dies sind hier keine allgemeine Regeln und die Lektionen eines Meisters sind äußerst wichtig während der Einübung, sei es, um die Handlung zu lenken, sei es, um die Mängel oder die Auslassungen des Schülers zu beheben.

ABSCHNITT IV. – VON DER NATUR UND DEN LEHREN DER
TANTREN

Die Begriffe *Tantra* und *Agamas* werden unterschiedslos das eine für das
andere eingesetzt. Der Ausdruck „Tantra" wird in der *Kamikayama* benutzt,
in den Schriften, die die vierundzwanzig folgende Themen ansprechen; 1.
das Wesen Brahmas; 2. Brahma Vidya, Wissenschaft Brahmas; 3. die
Namen der Agamas und Tantren; 4. Schöpfung und Zerstörung der Welt; 5.
Astronomie; 6. die sechzehn mystischen Diagramme, genannt Tchakras, die
bei der Beschäftigung mit den Mantren helfen; 7. Mantren; 8. der Gebrauch
der Mantren; 9.Yantren; 10. Kulte der besonderen Gottheit, mit der sich das
Werk beschäftigt; 11. der Weg der Menschen in den vier Zeitaltern; 12.
Ursprung der Devas; 13. Schöpfung und Zerstörung des Universums; 14.
heilige Flüsse; 15: Pflichten der einzelnen Kasten; 16. alte Traditionen; 17.
heilige Tage des Jahres; 18. reine und unreine Dinge; 19. Elemente der
Natur; 20. geheime Kräfte der Kräuter; 21. Elemente der Natur; etc.

Die Tantren oder Agamas, wie ich sie zu Anfang dieser Studie vorgestellt
habe, wie die großen Archive der Mantren, bestehen aus drei Klassen:

1.Pancharatra   agamas   oder   jene,   die   vom   Kult
Vishnus handeln;
2.*Saivagamas,* den Kult Shivas behandelnd; und
3.Saktagamas Sakti heiligend.

Die erste Klasse umfasst 180 Samhitas oder durch die sieben *Rishis*
(Seher), Brahma, Shiva, Skanda, Gautama, Vasishta, Narada und Kapila,
verfassten Texte. Daher wurden sieben Schulen gegründet; jedoch lehren
zehn und anschließend eine weitere die Doktrin, die die Zahl der 108
Samhitas vervollständigte. Hier, ergänzend zum Titel des original
Dokuments, wonach das berühmte Werk betitelt mit „*Amnayastava*" – den
sieben Kreisen der Hauptmantren. *Shiva,* Gott der fünf Gesichter ist als
Schöpfer aller *Mantren* bekannt. Dann folgen die *Rishis,* die die
Formulierungen und den Gebrauch der *Mantren* offenbaren. Jeder unter
ihnen studierte besonders eine dieser Formulierungen und erhielt die Kraft,
die diese innehat. Das besagte Werk lehrt uns, dass zwei Kreise der
vedischen Mantren geschaffen wurden durch das Gesicht Shivas, das

Tatpurusha genannt wird. Ein anderer Kreis, der des Gesichts genannt Isana; ein Kreis des *Saivamantras* des Gesichts genannt *Aghora;* ein Kreis der Mantren Vishnus des Gesichts *Sadyodjata* und zwei Mantren der Engel des Gesichts *Vamadevas.* – Jede dieser Reihen hat in Indien seine speziellen Schüler.

KATALOG DER 108 PANCHARATRA AGAMAS
(VISHNU GEWIDMET)

1. Padmasamhita*.. 10.000 Verse
2. Padmobhava S...100.000
3. Mayavaitha oder Trailokyaniohana S.....................
4. Nalakoubara S..5.000
5. Pharama S.. 1.500
6. Narada S..4.000
7. Kanoua S..7.000
8. Vishnu thilaka.. 750
9. Sanaka S..1.500
10. Ardjouna S..
11. Vasishta S.. 4.500
12. Poushkara S..4.000
13. Sanatkoumara S.. 1.000
14. Satya S.. 14.000
15. Srldhara S. und
16. Sananda S..750
17. Bhou oder Mahaprasna..
18. Iswara S..500
19. Lakhsmi Tantra oder Sri
    Prasna, Dialog zwischen
    Indra und Lakhsmi.. 5.000
20. Mahendra S.. 2.000
21. Pouroushottama S.. 1.000 (?)
22. Panchaprasna S..
23. Kanoua S..
24. Moula S..
25. Tatwasagara S..
26. Vagisa S..

Diese Schriften zählen insgesamt 400.000 Verse *(Slokas)*. Nur ein kleiner Teil ist in den Bibliotheken Indiens erhalten. Der *Pancharatraraksha* aus Vedantatcharaya schreibt, es gibt sechs Zeitalter, deren Verlust in diesem Werk bereits erwähnt wurde. Die meisten darunter sind Städte in den Schriften *Visithtadwaitis*, die von den zehn Zeitaltern handeln. Von diesen 108 Texten sind die ersten beiden allgemein gehalten und handeln vom Wichtigsten. Unter den anderen, dem *Lakhsmi Tantra*, der *Bharata*, der *Ahirbudhnya* und dem *Satvata Samhita* gibt es sehr häufig Anzeichen, wie ein System der spirituellen Vereinigung Lehrender dargestellt wird *(Saranagati)*, die jenen antiken griechischen Mythen sehr ähnlich sind. Von sehr wenigen Ausnahmen abgesehen – wie *Narada Samhita*, die eingeteilt ist in Kapitel – sind diese Sammlungen aufgeschlüsselt in **vier** Teile: *Gnanapada, Yogapada, Kryipada* und *Tcharyapada*. Diese Ordnung wird manchmal umgestellt. Ein anderes Mal enthält die *Samhita* nicht ihre **Vierteilung.** Die *Santiparva Mokshadarma Parva* enthält danach die Mahabharata, die Kurzfassung, die dem Original der Agamas Vishnuites folgt.

Narada, im Verlauf seiner Reisen begegnet er Narayana Rishi in Badarikasrama (Ort im Himalaya) und stellt ihm verschiedene philosophische Fragen wie über die Entstehung der Welt. Der Rishi antwortet, dass Brahma zunächst erschaffen wurde, dann die Vedas, dann die Rishis: Athri, Bhrigou-Koutsa, Vasishta, Gautama, Kasyapa, Angirasa und Marichi. Ihre Lehren waren Fortsetzungen des Krita Yoga. Einer unter ihnen, genannt Uparicharas, der ein Opfer in Gegenwart der Rishis ausgeführt hat, während ihnen die Namen gegeben wurden. Sehr laut und völlig anders war mitten unter jenen Brihaspati. Die Gehilfen bemerkten, das die Opfer des Uparicharavas verschwinden ohne wie gewöhnlich von den Devas empfangen worden zu sein. Brihaspasti hat unehrenhafte Motive vermutet und wollte das Opfer wiederholen. Zu seinem großen Erstaunen wiederholte sich das Verschwinden der Opfergaben und er verlangte eine vernünftige Begründung vom Offizianten. Uparicharavas antwortete, dass Narayana das Opfer erhält. Die Devas waren von dieser Antwort irritiert und verlangten von den Rishis ihnen zu erläutern, warum Narayana nicht von ihnen gesehen werden kann. Die Rishis führten an, dass er der Sohn des Kopfes Brahmas sei, so könne nur er allein Narayana von Angesicht zu Angesicht sehen. Er sei selbst eine Weile gewesen, wo sie zum Swetadwipa gingen, um ihn nach einer langen Buße zu sehen. Nach dem Hören dieser Worte, ging Narada zum Swedatwipa, nahe dem Berg Meru; dort betrachtete er Narayana der von großer Strenge und Können erfüllt war. Jene, welche ihn sahen, die den einfacheren Weg ihn zu ehren nahmen, bedienten sich der Götzen.

So ist das Original der *Pantcharatra Agamas* der Welt durch Narada gezeigt worden. Dann auch von sechs anderen Rishis und letztendlich von verschiedenen anderen Lehrern.

Sie äußerten ihre Absicht und lehrten das *fünffache* Bewusstsein *(Ratra);*

1. Bewusstsein der Realität;
2. Bewusstsein dessen, wodurch man zu höheren Tätigkeiten fähig wird;
3. Bewusstsein dessen, wie man Narayana und Vaikounta dienen kann;
4. Bewusstsein die Mittel der acht Shiddis zu erlangen;
5. Bewusstsein der Mittel, die das Heil schützen, die Kinder, etc..

Die Shiddis sind in der Regel acht:

1. Die Kraft, sich bis auf die Größe der Atome zu reduzieren.
2. Sein Volumen zu erhöhen.
3. Levitation seiner selbst oder anderer Dinge.
4. Durchdringung der Materie, Erhöhung der Dichte der Dinge
5. Erfüllen aller Wünsche
6. Sieg über die Hindernisse; Erfahren, wie die materiellen Dinge sich durchdringen
7. Beherrschung aller Dinge
8. Letztendlich die Fähigkeit, alle Dinge an sich zu ziehen und den Verlauf der Natur zu ändern.

Man hat dem *Wort* andere Interpretationen gegeben; aber alle unter ihnen stimmen mit der von M. Barth in seinen *Religionen Indiens* angegebenen nicht überein.

Der Rest dieser Sammlungen gibt sich selbst andere Titel wie *Siddanthas* (endgültige Zusammenfassungen, Systeme) oder *Tantren* (mittelschwer auszuführen), im Gegensatz zu *Mantren,* die den Weg der Anwendung sehr vereinfacht darstellen.

Diese Schriften sind, darunter versteht man die *Saiva* = und die vielen *Saktagamas,* unter anderem ungeteilt in:

1. *Mantra Siddhanta,* das die kultischen Riten im Tempel behandelt;
2. *Agama Siddhantas* in *vier* Ausformungen;
3. *Tantra Siddhantas* in neun Ausformungen;
4. *Tantrantra Siddhantas* zuletzt oder kultische Vorbilder Vishnus oder Shivas mit drei oder vier Gesichtern.

Diese Unterscheidungen entstehen aus der Wahl der Symbole und der ausgesprochenen Mantren im Bezug auf ihre Erhebung. Die *Padma samhita* zum Beispiel ist ein *Mantra Siddhanta,* das vermutlich aus fünfzehn Millionen Versen von Narayana selbst zusammengesetzt wurde. Dann lehrte er Brahma, der die Verdichtung in 500.000 Verse vornahm. Dann lehrte er Rishi Kapila, der sie auf 100.000 *Slokas* verringerte und den Elefanten Padma, der sie in die Welt Patala einführte. So wurde dem letzteren sein Name gegeben, nachdem er die Samhita auf 10.000 Slokas zusammengefasst hatte. Samvarta empfing sie von Padma und lehrte sie dann den Menschen. Kanva wurde einer der Ringe dieser ununterbrochenen Kette der Geweihten. Wir haben gesehen, dass diese *Agamas* in *vier* Bereiche eingeteilt sind, beziehungsweise behandeln:

1. die Wissenschaft Brahmas, gemäß dem Gesichtspunkt der *Advaitis* (nicht-dualistisch) oder *Visishtadvaiti,* mit den Lehren und den Techniken der *Upanishaden;*

2. die Vereinigung *(Yoga)* oder praktische Teile des vorangegangenen Abschnitts als intellektuelle oder gnostische Einheit *(Jnanayoga),* aktive Einheit *(Karma-Yoga)* oder fromme Vereinigung *(Bhaktiyoga);*

3. die verschiedenen Stile der heiligen Architektur und Bildhauerei. Dieser Abschnitt ist in den *Agamas* weit entwickelt. Es gibt ein einfaches Mittel, das sehr empfohlen wird, um die Befreiung von all dem zu erreichen, was sich bei den anderen Wegen nicht verwirklichen lässt;

4. letztendlich die verschiedenen Riten der Verehrung der Vorbilder, folglich konstruiert aus unterschiedlichen Mantren, ihren Gebrauch, dem geheimen Wissen über die Wirkung der Kräuter etc.. Die Philosophie dieser

Agamas ist mit den monistischen Lehren *(Advaiti)* sehr verwandt, wie kaum eine andere, also sind die *vier* Abschnitte, die zuvor erwähnt wurden, nicht in allen Sammlungen zu finden. Sie befinden sich im Anschluss an eine kurze Einleitung über die großartige Entwicklung über diesem Abschnitt.

Die vorangegangenen Anmerkungen passen ebenfalls sehr gut auf die Saivagamas mit der eigenen Unterscheidung, dass in jenen vorangegangenen sich der Name Shivas festlegt auf jenen des Narayana. Hier ihre Aufzählung:

KATALOG DER 28 SAIVAGAMAS
(SHIVA GEWIDMET)

1. Kamika..125.000 Verse
2. Santana... 50.000
3. Sarva...
4. Kirana...
5. Soukhsma..
6. Yogadja...
7. Dipta..
8. Chinta ....
9. Karana...
10. Anchita ....
11. Vidjaya...
12. Vira..
13. Visva ....
14. Amsoumat..
15. Souyambhouya..
16. Nila..
17. Siddha...
18. Supratheda..
19. Rourava...
20. Makouta...
21. Bimba..
22. Vimala...
23. Lohita...
24. Sahasra (Nisvasa)...

Dies sind im Allgemeinen die Dialoge zwischen Shiva und seiner Gattin. Folgendes fragte er. „Welches sind die interessantesten Geheimnisse?" und seine Frau antwortete auf all seine Fragen. Von den **fünf** ersten dieser Sammlungen wird gesagt, sie seien aus den **vier** Gesichtern (diese werden *Aghora, Tatpuroitsha, Vamana* und *Sadyadjata* genannt und unterstehen den **4 Elementen!**) des Gottes herausgeströmt, nach Maßgabe des **fünften** Gesichts (Akasha). Die acht anderen Sammlungen wurden durch Shiva in seiner schrecklichen Gestalt *Irana* gelehrt, die Themen, die sie beinhalten, sind laut den gleichen Abschnitten zurückzuführen auf jene der *Samhitas* Vishnus.

Die *Saktagamas* sind gleichartig zusammengesetzt aus Antworten Shivas auf Fragen, die Parvati selbst ihm stellt. Wie die Göttin 64 Aspekte hat, so betrachten die 64 *Saktagamas* jeweils einen Aspekt. Die *Veden* sind dort als endgültige Regeln angegeben und als brauchbare Methoden bewiesen. Aber während des **vierten** Zeitalters der Welt *(Kaliyoga)* hatten die Menschen gegen dieses Thema eine besondere Abneigung. Der Kult *Shaktis* wurde als das einfachere Mittel um Glück zu erlangen wieder erweckt.

„Wenn man sich mit diesem Kult an die Göttin wendet ohne ein anderes Verlangen als jenem der Befreiung, erhält man das Ziel am Ende des derzeitigen Lebens oder bei der folgenden Wiedergeburt."

Alle diese Überlegungen sind sehr vedisch und ihre Wichtigkeit darf nie vergessen werden, genauso in den Schriften wie in der *Gnanarnava-* und dem *Kanlavarnava Tantra*. Der Anbeter Shaktis soll die Wünsche seiner Kaste gemäß angeben. Leider geben die Schriften in Englisch und Hindi gleichermaßen falsche Anmerkungen zu diesem Thema an ihre Leser, geben ihnen nicht viele *Tantren,* in denen sich eine ungefähre Moral in starkem Kontrast zur Reinheit der Vedantismen ausdrücken kann; die Praktiken der Shaktisten sind „unanständig", denn sie sind in der Essenz der Lehre nicht gefestigt. Man könnte zu diesem Thema den 1. *oullasa* des *Kanlarnava=,* den *Maharnirvana =, Roudrayamala =,* den *Phetkarini* und diverse andere Tantren hinzuziehen. Die Gläubigen Shaktis feiern ihre

Riten in ungeordnetem nächtlichen Sabbat, wobei Männer und Frauen sich gegenseitig bis zum höchsten Punkt der Leidenschaft steigern. Hier die Namen der 64 Saktagamas:

1. *Mahamàyà Samhara:* Gestalt des Universums und der Illusion.
2. *Yogini Djala Samhara:* Illusion verursacht durch die Yoginis, Kräfte, die man beherrscht durch bestimmte Praktiken bei der Bestattung.
3. *Tattwa Samhara:* Meister der Elemente.
4. *Mahindrajala Tantra:* Wandel des Wassers zu Luft und zu Erde.
5. bis 12. *Ashta Bhairava: Siddha, Vatou, Badabanala, Kala, Kalagni, Yogini, Maha* und *Sakti Tantras:* die acht *Siddhis* behandelnd.
13. bis 20. *Bhahouroushtaka:* Vom Kult Brahmas, Maheswaras, Kaumaras, Vaishnavas, Varahas, Mahendras, Chanundas, Shivadutas; das allerwichtigste Thema, das dort behandelt wird, ist die okkulte Methode *Srividya* anzurufen.
21. bis 28. *Yamalashtaka:* Der Kult Devas; behandelt Vedantisches und Esoterisches.
29. *Tchandragnana (Nityashodasi Tantra):* Der Kult Kapalas.
30. *Malini:* Die Heilung der Krankheiten.
31. *Mahasammohana:* Hypnose als okkultes Mittel gegen z.B. wie Verlust der Sprache der Kinder.
32. *Vamadjoushta*
33. *Vamadeva*
34. bis 36. *Vatoula, Vatoulottara, Kamika:* Errichtung der Tempel.
37. *Hridbhda Kapalika:* Beherrschung des Hritkamala der pinealen Drüse.
38. *Tantrabheda:* Tod durch Faszination, Beschwörung, etc.
39. *Gouhya:*
40. *Kalavada:* Behandelt die chronologischen Zeitabläufe.
41. *Kalasara:* Kult der „linken Hand".
42. *Kandikamata* des *ghoulika:* Vorbereitung geheimer Pflanzen.
43. *Mathathora Matha:* Vorbereitung des Quecksilbers, Alchemie, etc..
44. *Vina:* Dies ist der Name eines Adepten und es behandelt das Lehren der verschiedenen Mittel der Anbetung.
45. *Trottala:* Behandelt der *Ghoulika, Anjana* (Magie der Tränen) und der *Padouka.*
46. *Trottalottarka:* Beherrschung der 64.000 Yakshinis.
47. *Panchamrita:* Mittel dem Tod vorzubeugen.
48. bis 51. *Roupabhedatra* oder *Bhoutadamara, Koulasara, Kouloddisa,*

Koulatchoudamani: Verschiedene Methoden Menschen sterben zu lassen. *(Vamatchara)*
52. bis 56. # *Sarvagnanottara, Mahakali, Matha, Armessa, Medinesa, Vikhountesvara: Kult von Kapalika*
57 bis 64. # *Pourva,* = *Pashima,* = *Dakshina, Outtara* =, *Nirouttara* =, *Devimathi-Tantren;* Doktrinen der Digambara.

Die existierenden Werke über die Beschwörungen sind allesamt Auszüge aus zweihundert Sammlungen, die man aus der Übersicht entnehmen kann. Es gibt im südlichen Indien um die tausend, und man kann nicht genau sagen, wie viele schon verloren gegangen sind. Man ordnet in diesen Kategorien die Werke mit den Titeln *Mantramahodadhi, Tantrasara, Saradatilaka, Prapantchasara, Mantramava,* etc. Die *Samhitas* Vishnus haben einen philosophischeren Charakter als jene Shivas, und die letzteren befinden sich in demselben Bericht wie die *Saktagamas.* Aber die drei Systeme haben ein gemeinsames Thema. Zum Beispiel die allgemeinen Prinzipien der Beschwörungen, ihr Gegenstand, und die Kraft, die es möglich macht, durch die Übung der Mantren und ihrer Symbole sie zu erlangen.

Die Wissenschaft der Mantren ist nützlich, um das Studium der dunklen Themen zu vereinfachen und führt zu mehr erreichbaren Mengen an Ergebnissen der transzendentalen Psychologie der Upanishaden.

DOKTRIN DER TANTREN. – Nach den *Pantcharatragamas* ist diese Wissenschaft wichtig, um das „Wohl" zu erreichen; hier, um diesen Gegenstand zu erfüllen, die Vorstellungen die sie lehren. Das erste Prinzip ist Narayana, wonach sich die Ausströmungen in der folgenden Weise abstufen:

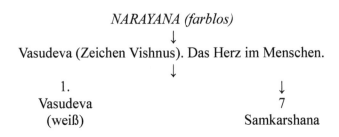

NARAYANA (farblos)
↓
Vasudeva (Zeichen Vishnus). Das Herz im Menschen.
↓

1.   ↓
Vasudeva   7
(weiß)   Samkarshana

13
Anirhuddha
19
Pradyumna

Jeder eine der Beigaben
Vasudeva repräsentierend
Narayana (Farbe blau)

Generationen der Devas

1. Vasudeva – zu ihm gehören:
   2. Kesava
   3. Narayana   I. Brami
   4. Madhava
   5. Purushottama   II. Pradjapatya
   6. Djanardana

7. Samkarshana:
   8. Govinda
   9. Vishnu   III. Vaishnavi
   10. Madhusudana
   11. Adhkshadja   IV. Davidja
   12. Upendra

13. Aniruddha:
   14. Trivikrama
   15. Vamana   V. Arshi
   16. Sridhara
   17. Narasimha   VI. Manushi
   18. Hari

19. Pradyumna.
   20. Hrishikesa
   21. Padmanabha   VII. Asuri
   22. Dhamodhara
   23. Atchyoutha   VIII. Paishatchis
   24. Krishna

Acht Gestalten, die aus den vier großen Devas hervorgehen

Durch diesen Prozess manifestiert sich Vishnu in seinen zehn Inkarnationen mit jeweils einem Symbol der Gottheit (die Scheibe, der Kegel, etc.), korrespondierend zu den acht Gestalten oder acht Pakritis. Dieses großartige Quartär [Erdzeitalter] erscheint den Vedanten analog zu „Atma-Karana-Sukhsma-Stuhla" zu sein. Brahma wurde erschaffen durch Aniruddha; das Gesetz des Karma wird durch die Erfahrung des Schmerzes erläutert; das Mittel zur Erfahrung dessen, was Erkenntnis oder Handlung oder Vereinigung ist.

Eine entgegengesetzte Methode ist das Erhabene in den *Saivagamas*. Shiva wird darin als eine Manifestation Brahmas, genannt Sadashiva betrachtet. Es gibt **fünf** Aspekte oder Gesichter, die jeweils mit **drei** Augen versehen sind. Das Gesicht *Isana* ist der Kopf, die *Tatpurusha* sein Bauch, die *Aghora* sein Herz; die *Vamana* sein Geschlecht; die *Sadyotjata* seine Füße. Er hat diese Gestalt angenommen, damit die Ergebenen ihn höher verehren können. Er wird auch *Pasupati* genannt, der Gott der Monaden, der völlig von ihm abhängt. Diese Sammlungen fahren mit weiteren Informationen über das Yoga fort, das jene durch Vishnu segnet. Es wird gesagt, welche Zeit ungeeignet für die Praktizierung des Yoga ist, dass andere Formen des Kults fruchtbarer sind und wie die Anbetung des Gottes in der Form des „Linga" die Beste ist.

In den *Saktagamas,* wird *Prakiti* oder *Shakti* erwähnt als die erste Kraft des Kosmos; sie ist bestimmt durch Unendlichkeit, Unabhängigkeit von Brahma und wahrem Ursprung aller Dinge. Sie ist achtfach. Shiva erklärt, dass sie durch die Kraft des Yoga in *zwei* Prinzipien eingeteilt ist: Ein männliches, rechts, genannt Iswara (elektrisches Fluid); die andere links, weiblich, genannt Nari (magnetisches Fluid), zusammengenommen sind sie Arthanariswara. Die **drei** großen Göttinnen Lakshmi, Saraswati und Parvati sind ihre Manifestation. Die Tempel in denen diese Agamas gepredigt werden, sind von runder, quadratischer, rechteckiger oder elliptischer Konstruktion. Diese letztere Form kommt eher selten vor. Er muss eine, drei, fünf oder sieben Türen haben; einen, zwei oder vier Türme, nicht höher als zwölf Stockwerke. Der Tempel sollte im Zentrum der Stadt liegen. Jedoch ist eine große Anzahl moderner Bauwerke nicht nach diesen Regeln gebaut.

Dies sind die großen Richtlinien des Unterweisens der Tantren, die unnachsichtig durch Badarayana in seinen *Brahma Sutras (2. Adhyaya, 2. Pada)* kritisiert und von Sankaratcharya verdammt worden sind. Aber die *Agamas* Vishnus, oder vielmehr ihre Abschnitte, die mit den *Upanishaden* übereinstimmen, wurden von *Ramanu- jatcharya* verfasst . . . . . .

Der praktische Teil dieser Schriften kann in den Händen von Personen, die zur Moral unfähig sind, zu einer gefährlichen Waffe werden. Man darf diese Wissenschaften nicht als Mittel zum Erreichen allgemeiner Erkenntnis betrachten und sie studieren, als wäre es immer dieser Geist des Ausrufs des Gottes Krishna: *„Jene, die die niederen Götter anbeten, stehen gegen mich; jene die MIR den Kult erweisen, erreichen MICH. "*

5. KAPITEL

DIE KLÄNGE UND DAS ASTRALE LICHT

Okkulte akustische Erfahrungen – Methoden der Suche – Die Magie des Wortes.

Wir konnten uns noch nicht mit dieser Rubrik, einem sehr moderaten Teil die Suche zu beginnen, beschäftigen, um die gegebenen Theorien der Esoterik zu diesem Thema zu belegen. Hier nun also, was werden kann, wenn man der positivistischen Methode folgt, geordnet nach möglichen Erfahrungen zu diesem Sachgebiet. Die allgemeine Absicht war die Suche nach Zusammenhängen der klanglichen Phänomene mit den anderen physischen Kräften, der üblich ist bei diesem Studium betreffend: Der als mehrstufig angesehenen Klänge als Erzeuger der Gestalten, der Farben, Düfte, Bewegungen und Wärme. Die Klasse, die uns derzeit interessiert, ist das Studium der Gestalten und der Farben im Bezug auf die ihnen gegebenen Klänge. Die entgegengesetzten Gattungen der Klänge können folgender Art sein:

		Vokale
1. artikulierter Klang	<	Konsonanten
		Magische Formeln

		musikalische Klänge
2. unartikulierte Klänge	<	Lärm (Wind, Wasser,
		Erschütterungen)

Wir müssen also die Ordnung der verschiedenen Phänomene durchlaufen. Letztendlich werden wir ihren Gegenpart untersuchen, sozusagen die unterschiedlichen Klänge werden durch die jeweilige Gestalt, die jeweilige Farbe, den jeweiligen Duft, die jeweilige Temperatur, oder allgemein durch die Art einer Bewegung, erzeugt. Diese Arbeit ist sehr umfangreich. Die Sicht, die Zeit und die Mittel fehlen uns, um das Ganze erschöpfend zu betrachten. Wir sind jedoch zuversichtlich mit dem Ergebnis unserer Nachforschungen. Unser Ziel ist es nicht, von anderer Stelle instruiert zu werden, sondern das Interesse für dieses Thema zu wecken.

BEDINGUNGEN DER EXPERIMENTE – Solche Nachforschungen bedürfen bei der theoretischen Betrachtung dreier Instrumente:

1. Eine Apparatur zur Erzeugung der Klänge
2. Eine Umgebung zum Empfang
3. Eine Apparatur zur Erfassung

Die Klänge können mit irgendeinem Musikinstrument erzeugt werden, genauso wie mit der menschlichen Stimme. In dem letzteren Fall werden wir Rechenschaft über die besondere Wichtigkeit des dynamischen Studiums magischer Formeln erhalten. Die Umgebung zum Empfang ist das astrale Licht. Also ist das perfekte Gerät zum Empfang nichts anderes als ein menschliches Wesen: Eine schlafende Person oder der Experimentator selbst, wenn er sich den notwendigen Übungen unterworfen hat. Hier nun, was uns zu beschäftigen hat, um ungehindert in das Gebiet der okkulten Psychologie einzutreten.

Die vorangegangenen Kapitel haben eine recht genaue Art der großartigen Richtlinien der esoterischen Physiognomie angezeigt. Die magische Einübung erlaubt dem Menschen, die Barrieren der physischen Sinne zu überwinden und in eine freie Beziehung einzutreten und mit der astralen Welt zu agieren, unter anderem, sich zu bewegen und die experimentellen Belege für diese Theorien zu suchen. Um die Experimente erfolgreich durchzuführen, braucht er diese weiterführenden Übungen aus dem nächsten Kapitel, welche zahlreiche Beispiele bieten. Ebenso greift man mit dem magnetischen Schlaf ein vertiefendes Thema auf, und man muss sich zuerst einer Reihe von Handlungen des Verstandes unterwerfen, die diesen **ausgleichen,** ihn befreien von störenden Einflüssen, ihn in einem Wort zu einen perfekten Spiegel in Hinsicht auf das zu machen, welche Ideen der Experimentator in ihn hineinlegt. Wir erreichen sehr bald einige Details dieses Themas. Allein die praktische Tätigkeit kann mit der Hoffnung begonnen werden, Ergebnisse zu erhalten, die deutlich größere Mängel ausschließen. Man darf es nicht vernachlässigen, die richtige Zeit für die Experimente auszuwählen, wie z. B. den Zeitpunkt des Sonnenuntergangs oder die Nacht; die Verdauung muss beendet sein; der mentale Zustand und das Moralische muss absolut ausgeglichen sein.

Dann, wenn man sich dem Thema zuwendet, muss man acht geben, man wird wach bleiben müssen, um den Ergebnissen durch Suggestion oder Einbildung durch Gedanken aus dem Weg zu gehen, und seine Aussagen über andere Themen zu kontrollieren.

UNVERÖFFENTLICHTE EXPERIMENTE ÜBER DIE KRÄFTE DES KLANGS – Die Gestalten, die folglich einen Teil der Ergebnisse unserer Nachforschungen ausmachen; ihre Präsentation bedarf keiner weiterer Kommentare. Hier nun unter einem merkwürdigem Titel die höchsten Anrufungen der Inder:

Das Mantram Narayana

ततवमास

DU BIST BRAHMA

RAHMAN

राम

RAMA

95

ततआास॒ऽवम

Hauptmantren
(davanagarische Schreibweise)

Hier die Gestalt des heiligen Wortes der Inder:

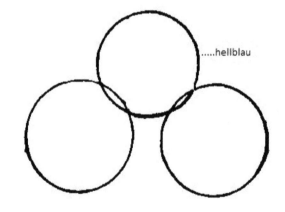

.....hellblau

Om! Anbetung! In der absoluten astralen Sphäre!
Klang: de-mi-so

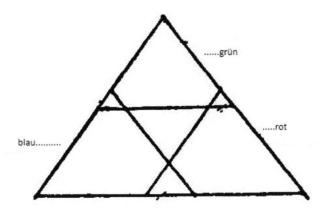

Om (Im astralen Körper des Menschen)

Hier die Formen einiger wichtiger Mantren:

Om! Narayanaya (mit zwei alternativen Durchgängen warm
und kalt)

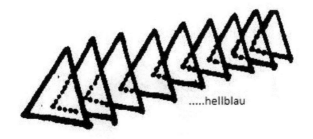

Narayanaya – sehr warm

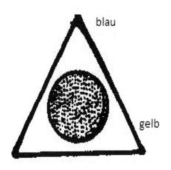

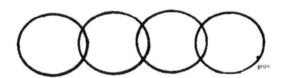

Om! Mani padme hum! Buddhistische Anrufung (Gefühl der Kälte)

So Ham – DAS GROSSE MANTRAM DES RAJA-YOGA

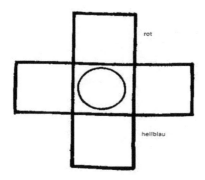

HAMSA – DAS ZEICHEN BRAHMAS – KOMPLEMENTÄR ZUM VORANGEGANGENEN. DER KREIS IST KALT, DIE QUADRATE SEHR WARM.

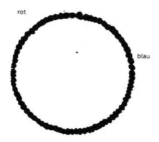

Aham Brahmashmi – Ich bin Brahma. Das große Mantram der Befreiung (Gefühl der Hitze)

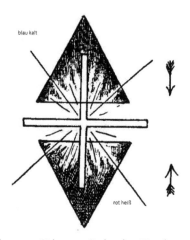

Ayam Atma Brahma – Dieser Geist ist Brahma (Das weiße Kreuz
platziert sich im Scheitelpunkt des übergeordneten Dreiecks genauso
wie im Scheitelpunkt des untergeordneten Dreiecks und weist zurück
eine 8 beschreibend)

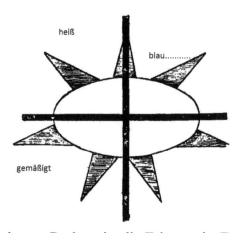

Pragnanam Brahma – Brahma ist die Erkenntnis (Das Zentrum des
Kreuzes ist leer; mittlere Hitze)

Mantram des Ätherelementes

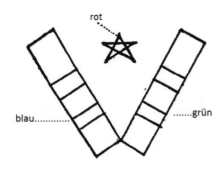 

Melodie

Mantram des Luftelementes

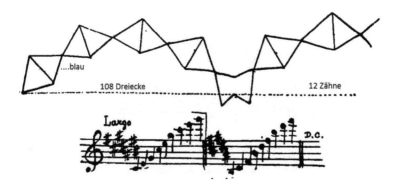

Mantram des Feuerelementes

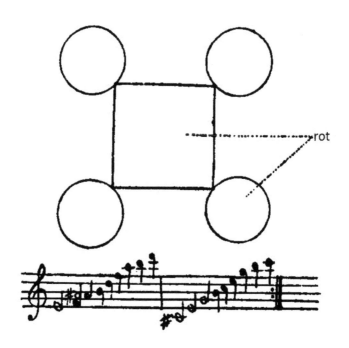

Mantram des Wasserelementes

Mantram des Erdelementes

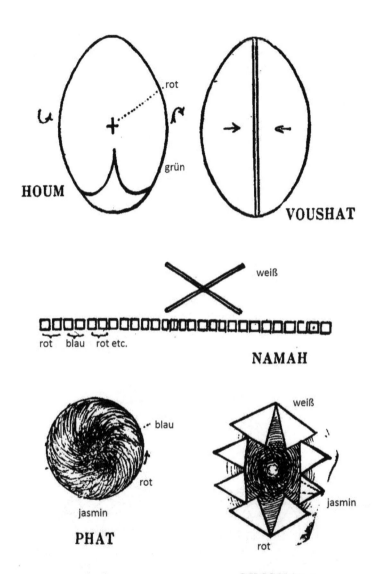

Formen einiger taumaturgischer (Wunder wirkender) Mantren der astralen Sonne.

FORMEN DES LATEINISCHEN ALPHABETS IN DEN REGIONEN
DER ASTRALEN SONNE. Die Konsonanten werden eingeteilt in Gruppen
zu je vier Stück. Die Klänge Be, Ce, De, Fe formen vier Ellipsen auf der
großen horizontalen Achse. Sie haben jeweils die Farben Grün, Rot, Blau
und Violett.

Die Klänge Ge, H, Je, Ke geben im Block die untenstehende Figur.

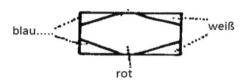

Die Klänge Le, Me; Ne, Pe werden verkörpert durch vielfarbige
bewegliche Ringe, die eine schnelle Rotation ausführen.

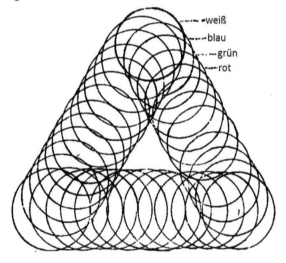

Dieses Dreieck aus Kreisen repräsentiert die Gestalten der Klänge
Re, Se, Te, Ve. Ze bringt einen blaßblauen Kreis hervor mit
allerdings vielfarbigen Strahlen.

Hier die lateinischen Vokale:

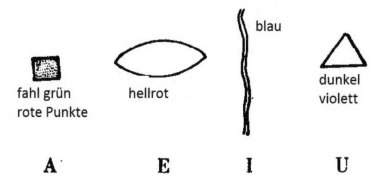

O – wird durch einen schimmernden Punkt dargestellt.

Hier die Formen, die in derselben astralen Region der Noten der ersten Oktave des Pianos entstehen.

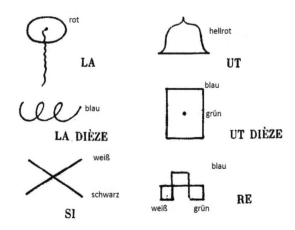

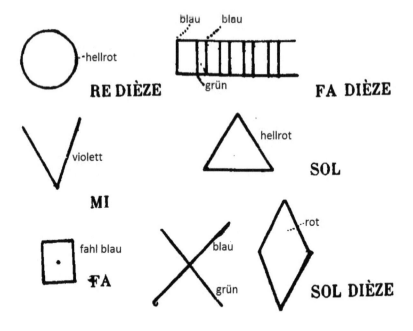

Hier die Noten der vorletzten Oktave des Pianos:

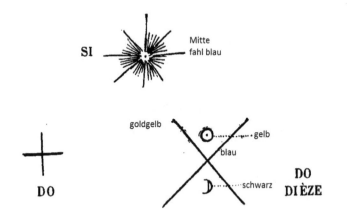

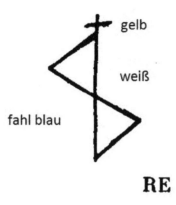

gelb

weiß

fahl blau

RE

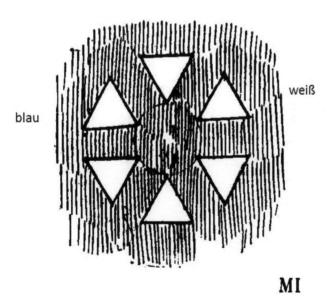

weiß

blau

MI

107

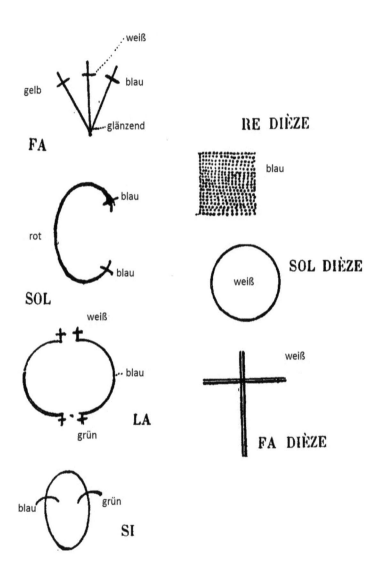

weiß

gelb   blau

glänzend

FA

RE DIÈZE

blau

blau

rot

blau

SOL

weiß

SOL DIÈZE

weiß

blau

weiß

LA

grün

FA DIÈZE

blau   grün

SI

108

Der Mangel an Raum zwingt uns, hier die Aufzählung dieser Erfahrungen für beendet zu erklären. Unsere Notizen umfassen alle Stufen von Klängen des Pianos, solche der Violine, eine Reihe von perfekten Akkorden in Dur und Moll, etc., etc. Wir verweilen nicht, ohne dieses Kapitel abzuschließen, mit der Erwähnung einiger Wiederholungen bekannter Tatsachen, die zu diesem Thema passen. Die Beispiele des Phänomens der Ekstase und der Levitation, hervorgerufen durch den Klang, finden sich in den Leben der Heiligen und anderen Schriften dieser Gattung. - Einer dieser sehr bekannten Effekte dieser Art, ist jener, womit David mit seiner stillen Harfe die Raserei des Saul besänftigt hat. – Die „*Magie, Mystik und Dämonie*" von Görres enthält eine große Menge dieser Erzählungen. Erwähnen wir zum Beispiel den Fall des Heiligen Joseph von Copertino, der, in der Messe an einem Weihnachtsabend, durch dem Klang einer Hirtenflöte tief einatmete, einen leichten Schrei ausstieß und sich vom Boden bis zum Altar hinauf, der fünfzig Schritte von seinem Platz entfernt war, erhob. Man wiederholt die hervorragenden Übungen der Aissauas auf der Ausstellung in Paris von 1889. Sie benutzten ein Tamburin, um sich zu sensibilisieren; die Teufelstänzer, die Ceylonesen, die sibirischen Schamanen gebrauchten alle Tamburins. Die Lamas aus Tibet, die sich den Leib öffneten, halfen sich mit der Tatkraft von gerufenen Gebeten der Gläubigen. Alle großen Religionen, der Katholizismus, der Buddhismus, der Brahmanismus, bedienen sich in ihren Zeremonien der Musik und des Gesangs. Die modernen Hypnotiseure und an ihrer Spitze Charcot, haben dies festgestellt und gebrauchen die Kräfte des Klangs als Zusatz zum hypnotischen Schlaf. Unsere Leser erinnern sich an die Entdeckungen des Amerikaners Keeley, der eine zwischen-ätherische klangliche Kraft entdeckt hat, aus der die Stärke mit aller Wahrscheinlichkeit hervorragt. Man fand in den Sammelbänden des „*Roten Lotus*" von 1889 alle Details zu diesem Thema. Bei dieser Gelegenheit ist es interessant anzumerken, dass Mesmer in seinen *Aphorismen* schon den Klang als eine Art der Bewegung aufzeigt.

Es gibt umfassende Erfahrungen, die zum Studium des Klangs Verwendung finden. Und hier zwei, kurios genug, dass wir die Veranlassung gehabt haben, sie viele Male mit Erfolg zu wiederholen.

Unter dem Strahl einer Fontäne spannt man einen stählernen Strang auf die Weise, dass sie durch die Vibration eine musikalische Note ergibt: Man öffne den Wasserverschluss und kann dann eine bestimmte Note hören. Der Wasserstrahl bleibt stehen und am Rohr hängend.

Die zweite Erfahrung besteht aus dem Hervorstoßen bestimmter Worte gegenüber einer Lampe: Wenn der Handelnde seine Worte mit ausreichender Kraft versieht, tritt die Flamme aus dem Glas der Lampe heraus und wandert durch den Raum, vor und zurück, ändert die Richtung auf Kommando, bis sie ein ziemlich starkes Zischen verursachend verpufft und keine weiteren Spuren hinterlässt.

*

DIE MAGIE DES WORTES. – Wir können diese knappen Angaben zur Phänomenologie nicht abschließen, ohne die Aufmerksamkeit des Lesers auf die Kunst des magischen Wortes zu lenken. In der geläufigen Sprache existieren das Wort sowie der Tonfall. Es ist eine Kombination dieser zwei Elemente, die die Grundlage der Kunst des Redners oder besser des Geheimnis enthüllen. Wir haben das Konzept dieser Kunst herausgefunden, angezeigt in den „*Akedysseril*" von Villier l'Isle-Adam: Wir erlauben uns, diese ganze hervorragende Passage den Augen des Lesers zur Verfügung zu stellen; Akedysseril wendet sich mit diesen Worten an den Hohepriester Shivas:

„*Oh! Die Nachrichten meiner Phaodjs sind inhaltsschwer: Sie haben mich aufgeklärt über gewisse verabscheuungswürdige Kräfte, über welche du verfügst! Sie haben unter Eid auf die Devas der ewiglichen Sühne bezeugt, dass keine noch so furchterregende Waffe brauchbar sei, wo dein finsterer Geist das Wort der Lebenden zu unterwerfen weiß. Über deine Sprache beteuerten sie, deinen Widerwillen verspürt zu haben, sehr trügerische Blitze, flammender und mörderischer, als jene, die aufschießen, in Schlachten von Hieben unserer Skimitare [Krummschwerter]. Und wenn ein unheilvoller Geist seine Fackel schwingt, deiner Absicht folgend, diese Kunst, diese Kraft, besser, sich zuerst entscheidet, zu . . . entfernten Vermutungen, spitzzüngig motiviert und fortgesetzt durch grauenhafte Stille . . . Dann, sehr eigenartigen Wendungen deiner erweckten Stimme . . . kennt man keine Angst, wonach du Ausschau hältst, ohne Waffenruhe, vergeht die Dunkelheit an den Fronten. Nun, Mysterium aller besiegten Vernunft! Fremdartiger Konsonanten, ja, fast nichts von Bedeutung, und daher sind dir die magischen Geheimnisse bekannt, genügen dir zur Erhellung unseres unpfandbaren Geistes mit eisiger Beunruhigung! Als ob verdächtige Unruhe, dass eine unbekannte Angst einen bald bedrückt, dieselbe durch die dein Misstrauen, erweckt, begann dich gebannt zu betrachten. Es ist zu spät. Das Wort entsprang von deinen Lippen, dann blaue und kalte Ruflektionen, Schwerter, Schuppen von Drachen, Steine. Er umklammert, gebannt, zerrissen, geblendet, vergiftet, erstickt . . . und er hat Flügel! Seine okkulten Bisse lassen die Liebe ausbluten bis nichts mehr heilt. Du kennst die Kunst hervorzurufen – um sie immer wieder zu täuschen – die größten Hoffnungen! Zum Schmerz setzt du voraus, . . . dass du überzeugst mehr als dass du bezeugst. Wenn du vortäuschst zu beruhigen, verblasst deine bedrohliche Fürsorge. Und gemäß dem Willen, die tödliche Bosheit zu verbergen, die dein gezischtes Denken belebt, nicht mehr zu lobpreisen, behalten sich die schiefen Turmspitzen allein, wichtig zu sein vor! Du weißt es, denn du bist wie ein bösartiger Tod. Von fragwürdigem Gespür und kalt, weißt du die Schädigung denen, die anwesend sind und dich hören, anzupassen. Schließlich verschwindest du, lässt in dem Geist, den du geboten hast, also ein flüssiges Gift, den Keim zersetzender Traurigkeit eindringen, den die Zeit verschlimmert, der den Schlaf verhindert – und der bald, wenn er belastend, beißend und düster wird, das Leben seinen Reiz verlieren lässt, so dass die Front sich beugt, niedergeschlagen, wie das Azur scheint beschmutzt seit deinem Blick, wie das Herz sich abschnürt für immer – und dass die einfachen Wesen sterben können."*

Merken wir indessen an, dass es, wenn es todbringende Worte und Rhythmen gibt, auch wohltuende und wärmende existieren. Wir haben in den Arbeiten M. Gopalacharlus die Aufzählungen gesehen. Aber es ist Zeit, diese Berichte zu beenden und zum letzten Kapitel unserer Studien überzugehen.

6. KAPITEL

WIE MAN EIN MAGIER WIRD

Werkzeuge des okkulten Menschen. Die Klänge. Hamsa Upanishaden. Amritha-Nada Upanishaden. Der Wille aus magischer Sicht.

WERKZEUGE DES OKKULTEN MENSCHEN. – Wir fahren damit fort, uns mit der androgonischen Klassifikation zu beschäftigen, die wir zuvor dargestellt haben. Man erinnere sich, dass laut dieser Theorie, das menschliche Wesen nichts anderes als eine dreifache Hülle des Logos-Funken ist; Dreieinigkeit der Begriffe bezieht sich auf die Ebene der undifferenzierten Substanz, das Astrale Licht und die materielle Objektivität. Die erste dieser Hüllen, der kausale Körper mit den charakteristischen Funktionen, dient als ein Vermittler, um zwischen dem Absoluten und dem Relativen wahrnehmen zu können, infolge einer zweckmäßigen magischen Unterweisung. Sie ist platziert zwischen den beiden Polen der zerebrospinalen Achse. Bezeichnet als die Große Schlange durch die hinduistischen Schulen, *„schließt sie die zwei großen Kräfte der Attraktion und der Abstoßung ein, von denen die Elektrizität und der Magnetismus kleine Aspekte sind. Es ist die Kraft, die diese fortwährende Anpassung der inneren und die äußeren Verhältnisse bewirkt, die die Essenz der nachfolgenden Sicht Herbert Spencers ist, und diese andere Anpassung des Äußeren an das Innere, die die Grundlage für Wanderung oder Rückgliederung ist."* (aus „Vier Vorlesungen über die Bhagavat Gita")

Sie ist also, wie wir zuvor gesehen haben, der Sitz der Individualität, des Bewusstseins, die essentielle Fähigkeit des Wortes. Es ist ein Ort des *AUM,* des Zwischenklangs. Er hat zur Fortbewegung die 72.000 *Nadis,* von denen wir noch sprechen werden. Der astrale Körper, Werkzeug der allgemeinen Anpassung, besitzt davon ein dreifaches respiratorisches, digestives und sensorisches System. Die sensorischen und respiratorischen Systeme sind zusammengesetzt aus Strömungen, die von den Indern *Nadis* genannt werden, 72.000 an der Zahl. Diese offensichtlich symbolische Gesamtzahl wurde von den Eingeweihten bestimmt.

Die Chandilly-Upanishaden (Atharva Veda) enthalten eine Liste der vierzehn Häupter unter diesen Strömungen. Es sind:

1.*Ida, (Mond)* den linken Lungenflügel durchfließend, ein Bereich von dunkler, passiver Natur *(Tamoguna)*.

2.*Pingala, (Sonne)* den rechten Lungenflügel durchfließend, ist ein Bereich von aktiver Natur (*Radjoguna*).

3.*Sushumna*, versteht sich als Länge der vertebralen Säule. Er ist von reiner Natur (*Sattwaguna*).

4.Saraswati, die Höhe der Stimme durchfließend, an der Seite des Vorangegangenen.

5.*Varuni*, zu beiden Seiten der zerebrospinalen Achse liegend, zwischen *Yasawini* und *Kouhou*.

6.*Pusha.*

7.*Hasti-Jivha.*

8.*Yasaswini*, kommt aus dem großen Zeh und geht zwischen dem 4. und 14. Nadis hindurch; er ist lunar.

9.*Vis-vodhari.*

10.*Kouhou*, bei den Geschlechtsorganen, nahe bei *Sushumna*.

11.*Sankhini*, geht durch das linke Ohr.

12.*Payaswini*, geht durch das rechte Ohr und zwischen den 6. und 4. *Nadis*.

13. *Alambusa*, findet sich im Zentrum des Nabels, versteht sich als um das Kreuzbein herum.

14. *Gandhari*, der von der Linken *Ida* zum linken Auge geht.

Die Große Schlange wird auch *Nada* genannt. Der Klang, ist der Vater der *Nadis*. Er beherrscht sie durch den Kanal der *Sushumna*. Diese Ader der magnetischen Elektrizität wird durch die Upanishaden als Stütze des Universums, Weg des Heils, Gattin des Wortes und Verbraucher der Zeit, der die beiden ersten Werkzeuge durch die Kraft der Großen Schlange abwägt, bestimmt Sein Licht ist blau und korrespondiert mit jenem der Sonnenstrahlen, die den Mond erhellen. Durch diese Sichtweise wiederholt sich das Mystische mit dem astralen Licht und der universellen Seele. Letztendlich formen diese Nadis in ihrem Verlauf sieben Geflechte oder Wirbel der astralen Kraft. Deshalb haben die Inder sie Räder genannt. (Chakren)

Hier eine Tabelle dieser Geflechte mit ihren Korrespondenten nach der *Sitharamandjaneyam*. (Diskurs über Sita, Rama und Hanuman, von P. P. I.

Gouroumourthi).

Namen	Planeten	Zahl der Blüten	Farben	Elemente	Sinne	Gottheiten	Zahl der Atmung
Heilige Geflechte	Saturn	4	Goldgelb	Erde	Geruch	Ganesha	600
Prosta-tische Geflechte	Jupiter	6	Rot	Wasser	Tastsinn	Brahma	6000
Solare Geflechte	Mars	10	Gelb	Feuer	Sehen	Vishnu	6000
Herzstärk-ende Geflechte	Venus	12	Weiß	Luft	Geschmack	Rudra	6000
Pharyngi-sche Geflechte	Merkur	16	Schwarz	Äther	Gehör	Jivatma	1000
kavernöses Geflecht	Mond	2	Rubinrot	Das Mentale	Intuition	Paramatma	1000
Pineales Geflecht	Sonne	1000 oder 8	Sonnig	Das Absolute	Universelles Bewusstsein	Der Höchste	1000

[Vgl. mit den Angaben von Bardon! Sie sind zwar richtig, betreffen aber eine andere Sichtweise]

Die Funktionen der Verdauung des astralen Körpers enthalten als Organe die innere Atmung *(vayus)* in den Nadis. Es gibt davon fünf Arten: 1.*Prana-Vayu,* der Herzenswind der sich in das Nasenloch bewegt, die

114

Kehle, den Nabel, den großen Zch, den Extremitäten der Großen Schlange; sie leitet die Atmung und das Husten; seine Bewegung ist aufsteigend; seine Farbe Rot.

2.*Apana-Vayu,* der Wind des Kreuzbeins, die Geschlechts- organe, die Schenkel, der Schoß, der Magen, die Nieren, der Nabel und der Sitz des Feuers, es stößt seine Exkremente aus, seine Bewegung ist aufsteigend, seine Farbe weißlich Rot.

3.*Samana-Vayu,* der Wind des Nabels; er durchdringt die 72.000 *Nadis;* er nährt den Körper, eliminiert und harmonisiert, er ist milchig weiß. Er korrespondiert mit dem Element Wasser.

4.*Udana-Vayu,* der Körperwind; er zirkuliert durch alle Gelenke, die Hände und die Füße; er erhält die rechte Körperhälfte aufrecht und verursacht die Transpiration; er ist von gelber Ausprägung.

5.*Vyana-Vayu:* der Wind der Kehle, das Ohr durchdringend, das Auge, die Niere, den Fußknöchel, die Nase, die Kehle, das Gesäß; er bewahrt sich durch die Nahrung, leitet die Handlungen, die sie ergibt und die nimmt, und produziert den Klang, das Wort; er ist weiß.

Außerdem ist von diesen die *Chandilly-Upanishaden,* die fünf andere angibt, darunter die allgemeine Funktion der Nahrungsaufnahme der Knochen und der Haut. Diese sind:

6. *Naga Vayu:* Erbrechen bewirkend.

7. *Kourma Vayu:* beherrscht das Augenlid.

8. *Krikara Vayu:* bewirkt das Gefühl des Hungers.

9. *Devadatta Vayu:* regelt das Nichtstun.

10. *Dhanan-jaya-vayu:* regelt das Phlegma.

Wir haben das sensorische astrale System nicht besprochen, denn es findet sich alles in den zwei vorangegangenen Systemen. Wir vervollständigen diese Beschreibung durch eine zusammengestellte Tabelle über den Plan des Quintären (der Fünf) und die Abhandlung *Atma Bodha* von Sankaratcharya.

PANTCHIKARANAM

DAS WORT

Äther Die Intelligenz	Die Wahrnehmung	Urteilskraft	Das Bewusstsein	Das Ich sein
Samana Vayu	*Vayu* Vyana	Udana Vayu	Prana Vayu	Apana Vayu
Gehör	Tastsinn	Tejas Sicht	Geschmack	Geruch
Klang	Berührbarkeit	Gestalt	Apas Schmackhaftig	Duft
Wort	Hände	Füße	Ausscheidungsorgane	Prithvi Fortpflanzungsorgane

DIE KLÄNGE – Der absolute Klang wird im Sanskrit durch drei Begriffe ausgedrückt, die nah beieinander liegende Synonyme sind. Der erste Nada bezeichnet einen spirituellen Klang und esoterisch gesehen den Geist *Shivas,* oder *Purusha,* dass männliche Prinzip in der Handlung der Zeugung.

Die Zweite, *Suara,* bezeichnet die Atmung, vitale Vibration und metaphysisch die abstrakte Bewegung, den Geist. In der vedischen Exegese bezeichnet *Suara* gleichermaßen den phonetischen Sinn der Schriften, den Rhythmus oder die okkulte Betonung, die ihren Vortrag belebt durch das Licht.

116

Schließlich die Dritte, *Sahda,* ist die Stimme des Vaters, des Sohns, des Logos, *AUM.* Alle anderen darunter sind keine Verdorbenheiten.

An der Spitze seiner Entstehung im Menschen, bewegt sich der Klang durch die vier bereits aufgezählten Stationen.

Der ultimative Klang manifestiert sich im kausalen, geistigen Körper, der Großen Schlange.

Der Mittelklang wird erzeugt in den *Nadis,* im astralen Körper, auf der Ebene des sechsten Geflechts (Chakra). Der Klang wird auch als „Reisender" bezeichnet, wenn er die *„Region des Herzens"* erreicht: Schließlich wird er „ausgesprochen" auf dem Weg der Kehle (Vach) zum Mund.

All dieses ist fundiert in der folgenden Passage hier zitiert aus der *Rig-Veda: „Die Arten des Wortes sind vier an der Zahl; die Brahmanen lehren dies zu wissen in den Veden; drei unter ihnen sind latent, die letzte wird ausgesprochen."* (I, 163, 45). Eine dieser anschaulichen Methoden wird *Laya-Yoga* genannt, worin sie desgleichen ihre theoretische Grundlage hat.

Aus der Sicht der Musik, teilt der Klang sich in sieben Klassen, die die sieben Noten der Tonleiter enthalten. Hier eine Tabelle, welche unter diesen siebenfachen Korrespondenzen man der Sangitaratnakara, der Sarugadeva entnehmen kann. (IV. Jahrhundert nach Jesus Christus).

Noten SANSKRIT	Noten in ENG-LISCH	AUSRUFE	FARBE	GEFÜHL
Sa	C	Pfau	Kupfer	Wert/Zorn/Überrasch.
Ri	D	Rind	Nacken des Elefanten	Überraschung/Wert/Z. Zorn/Wert/Überrasch.
Ga	E	Ziege	Gold	Mitleid
Ma	F	Schädel	Jasmin	Liebe
Pa	G	Koil	5 Farben	Liebe
Dha	A	Pferd	Jasmin	Ekel, Fieber
Ni	B	Elefant	Bräune	Mitleid

Schließlich unterscheidet man bei einem speziellen Gesichtspunkt der allgemein erhellenden Entwicklung acht Grade des Klangs. Die

117

Upanishaden beschreiben sie wie folgt.

HAMSA UPANISHAD
aus den Soukla-Yadjour-Veda:

AUM

1. Gautama sprach:
Des Brahmanwissens Aufweckung,
Die aller Pflichten kundig ist,
Aller Lehrbücher Sinn einschließt,
Wodurch, o Herr, wird die bewirkt?

Sanatsujata sprach:
Alle Veden durchdacht habend
Und erfasst habend ihren Sinn,
Siva der Parvati vortrug
Die Wahrheit; - sie vernimm von mir.
Unsagbar und verhüllt gleichsam,
Ist der Yogins Geheimnis sie;
Die dem Hamsa den Weg auslegt,
Freude schenkt und Erlösungsfrucht.

Nunmehr wollen wir über den Hamsa und Paramahamsa das Genaue mitteilen für den Brahmanschüler, welcher beruhigt, bezähmt und dem Lehrer ergeben ist.

2. Mit dem Laute hamsa hamsa [aushauchend und einhauchend] weilt er [der Odem] immerfort in allen Leibern, sie ganz erfüllend, wie das Feuer in dem Brennholz oder das Öl in den Sesamkörnern. Wer ihn erkennt, der verfällt nicht dem Tode.

3. Die Afteröffnung verschließend, soll man den Wind von dem Unterleibskreis (adhara) in die Höhe treiben, indem man dabei den Sexualkreis (svadhishthanam) dreimal nach rechts umfährt, zu dem Nabelkreis (manipurakam) aufsteigen, den Herzkreis (anahatam) überschreiten, im Halskreis (visuddhi) die Lebenshauche anhalten, den Zwischenbrauenkreis (ajna) überdenken, die Brahmanöffnung meditieren und dabei allezeit das

Wort „ich bin der aus den drei Moren bestehende [Omlaut]", dazu auch, vom Unterleibskreis an bis zur Brahmanöffnung hin, den Nachhall überdenken, welcher einem reinen Bergkristall gleicht, denn er ist es, welcher Brahman, der höchste Atman, genannt wird.

4. Bei diesem Spruch [nämlich hamsa hamsa] ist der Dichter der Hamsa, das Metrum die Pankti, die Gottheit der Paramahamsa, das Wort ham der Keim (die Anfangssilbe), sa die Kraft (die Schlusssilbe), „so ham" der Stamm (die zwischenliegenden Silben). Es sind aber ihrer [der ham-sa, d.h. Aus- und Einatmungen] in Tag und Nacht einundzwanzigtausendsechshundert und sechs.

5. Mit den Worten: „Der Sonne (om-surydya hridaydya namah), dem Mond (om somaya sirase svaha), dem Fleckenlosen (om niranjanaya sikhdyai vashat), dem Glanzlosen (om nirdbhasdya kavacaya hum), tanu-sukshma (om tanusukshma netratrayaya vaushat) und pracodayat (om pracodayad astraya phat)" und dem [jedesmaligen] Zusatz: „Dem Agni und Soma vaushat", werden die Gliedersprüche an Herz usw. [Herz, Kopf, Haarlocke, Panzer, Dreiauge, und Waffe des Spruchkönigs] aufgetragen [als Diagramm] und auch auf die Hände aufgetragen.

6. Nachdem dies geschehen, soll man im Herzen in der [dort befindlichen] achtblätterigen [Lotosblume] das Wesen des Hamsa überdenken. [Als Hamsa, Schwan, denkt man ihn in Vogelgestalt:] Agni und Soma sind seine Flügel, der OM-Laut sein Kopf, der Anusvarakreis sein Auge [oder auch] sein Mund; Rudra und Rudrani seine Füße und Arme, Kala und Agni seine beiden Seiten [rechts und links], „erschaut" und „heimatlos" sind die beiden übrigen Seiten [oben und unten].

7. Und dieser [Hamsa, d.h. die individuelle Seele] ist jener Paramahamsa [die höchste Seele], welcher leuchtet wie zehn Millionen Sonnen und diese ganze Welt durchzieht.

8. Sein Verhalten aber [sofern er in der achtblättrigen Lotosblume des Herzens weilt] ist ein achtfaches; an dem östlichen Lotosblatt ist sein Sinn auf heiliges Werk gerichtet, an dem südöstlichen überkommen ihn Schlaf und Schlaffheit, an dem südlichen ist sein Sinn grausam, an dem

südwestlichen trachtet er nach Bösem, an dem westlichen nach Spiel, an dem nordwestlichen steht sein Verlangen nach Gehen und dergleichen, an dem nördlichen begehrt er nach Liebeslust, an dem nordöstlichen nach Erwerb von Gütern. In der Mitte herrscht die Entsagung, an den Staubfäden der Zustand des Wachens, an der Samenkapsel der Schlaf, an dem Stängel der Tiefschlaf, wo die Lotosblume nach oben aufhört das Turiyam.

9. Wenn aber der Hamsa in dem Nachhall hingeschwunden ist, dann tritt das ein, was Turiya-erhaben, Undenken, Abschluss im Nichtmurmeln heißt. Dies alles geschieht um des Hamsa willen. Darum wird das Manas laufen gelassen; er aber [der Verehrer] genießt in zehn Millionen Murmelungen den Nachhall. Dies alles geschieht um des Hamsa willen.

10. Der Nachhall aber kann zehnfach hervorgebracht werden: Der erste klingt wie cini, der zweite wie cincini, der dritte wie Glockenton, der vierte wie Muschelblasen, der fünfte wie Saitenspiel, der sechste wie Händeklatschen, der siebente wie Flötenton, der achte wie Trommelschall, der neunte wie Paukenschlag, der zehnte wie Donnerhall. Den neunten [und die vorhergehenden] meide man und übe den zehnten nur allein.

Beim ersten cincini nachmacht
Sein Leib, beim zweiten krümmt er ihn,
Beim dritten wird er sehr müde,
Beim vierten schüttelt er den Kopf,

Beim fünften fließt ihm sein Gaumen,
Beim sechsten trinkt er Amritam,
Beim siebten wird Geheimwissen
Beim achten ihm der Rede Kunst,

Beim neunten Unsichtbarmachung
Und hellsehender Götterblick,
Beim zehnten wird er zum Brahman, -
Brahman und Atman werden eins.

11. In ihm schwindet das Manas, und in dem Manas werden Wunsch und Zweifel, Gutes und Böses verbrannt. Er aber, ewig selig, kraftdurchdrungen, allgegenwärtig, leuchtet durch sein eigenes Licht als rein, weise, ewig, fleckenlos und beruhigt.

OM! Das ist die Veda-Erklärung!

*

AMRITHA-NADA UPANISHAD
des Krishna Yadjour Veda.

Vers 1-4. Erhabenheit des Brahmanen über die Schriftgelehrsamkeit und über hörbare Teile des Wortes OM.

*1. Der Weise, der die Lehrbücher
Las und studierte fort und fort,
Des Brahmanwissens teilhaftig,
Wirft sie von sich, als brannten sie.*

*2. Das OM besteigt er als Wagen,
Sein Wagenlenker Visnu ist,
Er sucht der Brahmanwelt Stätte,
Den Rudra zu gewinnen sich.*

*3. Doch der Wagen ist nur dienlich,
Solang man auf dem Fahrweg ist;
Wer zu des Fahrwegs Endpunkt kommt,
Lässt den Wagen und geht zu Fuß.*

*4. So lässt man auch die Wortzeichen,
Und nur mit dem lautlosen **m**
Von OM kommt man zum tonlosen,
Lautlosen, unsichtbaren Ort.*

Vers 5-16. Die sechs Glieder des Yoga.

*5. Die fünf Objekte der Sinne
Und das Manas, das regsame,
Sind nur des Atman Ausstrahlung,*

Dies wissen, heißt Zurückziehung.

6. Zurückziehung und Nachsinnen,
Atemhemmung und Fesselung,
Reflexion und Einkehrung,
Sind sechs Glieder des Yoga.

7. Wie durch Schmelzen der Bergerze
Die Schlacken werden ausgebrannt,
So durch des Atems Einhaltung
Verbrennt der Sinne Sündenschuld.

8. Durch Atemhemmung wird Sünde,
Durch Fesselung die Schuld verbrannt,
Die Schuld vernichtet habend,
Gedenke man des Glänzenden.

9. [Beim Denken an] das Glänzende
Atmet man aus und wieder ein.
Drei Atemhemmungen gibt es,
Leerung, Füllung und Einbehalt.

10. Die Gayatri mit ihrem Haupt
Nebst Vyahritis und Pranava
In einem Atem sprich dreimal,
Das nennt die Atemhemmung man.

11. Wenn man, den Odem ausstoßend,
Macht inhaltlosen, leeren Raum,
An dieser Leere sich haltend, -
Das ist, was man die Leerung nennt.

12. Den Mund als Lotosrohr spitzend,
Pflegt Wasser man zu schlürfen ja;
So auch soll man den Wind einziehn,
Das ist, was man die Füllung nennt.

13. Wenn man nicht aus- noch einatmet,

Auch seine Glieder nicht bewegt,
Und so die Luft in sich festhält,
Das wird der Einbehalt genannt.

14. Schau an die Formen wie Blinde,
Wie Taube höre an den Schall,
Wie ein Stück Holz den Leib achte,
Dann heißt du ein Beruhigter.

15. Wer als Organ des Vorstellens
Das Manas in dem Selbst versenkt
Und so gefesselt sich selbst hält, -
Das wird als Fesselung gerühmt.

16. Nachdenken, das nicht zuwider
Der Lehre, heißt Reflexion;
Was man schon hat und doch durchdenkt,
Ist der Einkehrung Gegenstand.

Vers 17-27. Regeln für den Yoga.

17. Auf einem ebnen Erdboden,
Der lieblich ist und fehlerfrei,
Nehm' er sein Manas in Obhut
Und murmele ein Mandalam;

18. Den Lotossitz, den Kreuzformsitz,
Oder auch wohl den Glückessitz
Als Yogasitz richtig schlingend,
Bleibt er nach Norden zu gewandt.

19. Ein Nasloch schließt mit dem Finger,
Luft zieht ein durch das andere er.
Staut in sich auf das Kraftfeuer
Und überdenkt den heil'gen Laut.

20. OM! diese Silbe ist Brahman,
Mit OM allein er atme aus,

123

Mit diesem Himmelslaut oftmals
Wäscht er der Seele Flecken ab.

21. Dann meditiere und sprech´ er
In Reihen den erwähnten (v. 10) Spruch,
Oftmalig, mehr als oftmalig,
Kein Übermaß ist hier zu viel.

22. Von seitwärts, oben und unten
In sich zurückgesenkt den Blick,
Sitzt regungslos, fest der Weise,
Dann übt wirklich den Yoga er.

23. Taktmaß [im Atmen], Hingebung,
Fesselung und Vereinigung,
Der Yoga auch, der zwölfmaßig,
Gilt als bestimmt dem Tempo nach.

24. Geräuschlos, ohne Konsonanten und Vokale,
Tonlos in Kehle, Gaumen, Lippen, Nase,
Auch ohne Schnarrlaut, beide Lippen unbewegt, -
Die heil'ge Silbe, die so lautlos lautet,

25. Mit diesem Laut sieht den Weg er
Den Weg, auf dem sein Prana geht,
Darum soll man ihn stets üben,
Damit den rechten Weg man geht,

26. Durch Herzenspforte, Windpforte,
Die Pforte, die nach oben führt,
Und der Erlösung Pfortenöffnung,
Die man als offne Scheibe kennt.

27. Vor Furcht, vor Zorn und vor Schlaffheit,
Vor zu viel Wachen, zu viel Schlaf,
Vor zu viel Nahrung, Nichtnährung
Soll der Yogin sich stets hüten.

Vers 28-31. Frucht des Yoga.

28. Wenn er auf diese Art allzeit
Den Yoga treibt der Ordnung nach,
Entspringt von selbst in ihm sicher
Das Wissen in drei Monaten.

29. Die Götter schaut er nach vieren,
Wird nach fünfen so stark wie sie,
Nach sechsen, wenn er will, sicher
Wird Absolutheit ihm zuteil.

30. Durch fünf Moren wird erdartig,
Durch viere wasserartig er,
Feuerartig durch drei Moren,
Durch zwei Moren dem Winde gleich,

31. Durch eine Mora raumartig;
Doch meditiert die halbe er,
Dann wird er fertig mit Manas,
Denkt nur durch sich und nur in sich.

Vers 32-37. Der Prana und seine Verzweigungen.

32. Dreißig Mannsfinger breit Raum ist,
Wo Prana mit den Pranas wohnt,
Der Hauch, so heißt er, weil dienend
Dem Hauch draußen als Tummelplatz.

33. Einhundertdreizehn mal tausend
Und einhundert und achtzig mal
Erfolgt das Ein- und Ausatmen
In dem Zeitraum von Tag und Nacht.

34. Prana zunächst weilt im Herzen,
Der Apana im Darm als Ort,
Samana da, wo der Nabel,
Udana, wo die Kehle ist.

35. Der Vyana endlich fortwährend
In allen Gliedern schaltend streicht.
Nun die Farben der fünf Pranas,
Wie sie folgen der Reihe nach.

36. Der Prana ist an Schein ähnlich,
Einem rotfarbnen Edelstein,
Der Apana erglänzt rötlich
Wie ein Marienkäferchen.

37. Der Samana im Leib schimmert
Wie ein milchfarbner Bergkristall.
Der Udana ist blaßgelblich,
Der Vyana einer Flamme gleich

Vers 38. Schlusswort.

38. Bei wem, durch diesen Ring brechend,
Der Lebenshauch zum Haupte steigt,
Wo der auch immer mag sterben,
Er wird nimmer geboren mehr.

Wir werden nun nicht mehr bei irgendwelchen kurzen Bemerkungen über die psychische Methode verbleiben, die uns erlaubt alle diese Belehrungen zu nutzen. Sie lassen sich auf eine sehr einfache Weise zusammenfassen. Der spirituelle Klang, von dem wir gesprochen haben, manifestiert sich im dritten *Nadi*. Es ist da, wo man unter der Handlung der Großen Schlange fähig wird, seine Eigenschaften der Manifestation zu umhüllen. Alles kommt also zurück um in diesem *Nadi* den lebendigen Atem zu speichern. Dieser äußert sich durch Niederlegung auf dem Feld des Bewusstseins genau nach dem Plan der Natur-Essenz (Prozess) den das Mystische des Westens als Hochzeit des Lamms bezeichnet.

„Wenn der Antichrist unter den Seelen stirbt, ersteht Christus auf aus seinem Grab, die fünf Vokale. Die mentale Sprache stirbt in Adam, bleibt gefangen im Antichristen; und wird befreit von Christus . Er öffnet alle Kammern der freien Weisheit in der sinnlichen Sprache; auf diese Weise versteht der Mensch viel mehr von den drei Prinzipien des Geistes der

126

Buchstaben, des plastischen Wortes der Natur." (Böhme: Große Mysterien XXXVI, 75).

„Es geschieht nicht, wenn der Mensch von neuem geboren wird, dass Christus zu ihm kommt und ihn wahrhaftig das essentielle Wort hörend macht." (Böhme: Große Mysterien, LXX, 18).

„Alle Pforten der Sinne sind verschlossen, der Geist konzentriert sich im Herzen und der lebendige Atem im Kopf, verschlossen und dauerhaft in mystischer Vereinigung."

„Brahma mit OM anredend, einheitlich und unteilbar, und sich an das Ich erinnern: Dies ist also, wie man seinen Körper aufgibt, den Hauptweg gehend." (Bhagavat Gita, VIII, 12, 13)

Es ist nun dies, was man im Reiche des Lebens durchschreitet, in dem des Seins, der Großen Schlange, rastlos seine dreifache Funktion zirkulierend, zum Wiedereintreten in den prägenesischen Kreislauf. Aber eine besondere Einübung ist notwendig, um die großartigen Möglichkeiten zu entfalten. Hier nun wie sie ein Mitglied des mystischen Zirkel des nördlichen Indiens beschreibt, Dr. Hentsoldt, mit dem wir das große Glück gehabt haben, anlässlich seiner Reise nach Paris sprechen zu können: *„Es ist ein Prozess, die Abstraktion des Geistes zu erlangen, zu einer selbst beobachtenden Vision seines Seins ohne äußeren Einflüssen unterworfen zu sein. Stellen sie einen Mathematiker an den ruhigsten Ort und er kehrt bald in die Welt zurück, wo er sich wieder der Lösung eines Problems widmen kann und er hat immer etwas, das ihn zerstreuen kann. Dies war, auch wenn er in einer Höhle ist, der Lärm eines Insektes, der Geschmack von Wasser, der Anblick eines Kräuterhalms: Und auch wenn er weder etwas sieht, noch etwas hört, war es die Erinnerung an seine eigenen Dinge in tausend Einzelheiten seiner Existenz. Weniger, dass er nicht all dies vollständig verneinen kann, viel mehr, dass er den Zustand der Abstraktion nicht erlangen kann, von dem die esoterische Philosophie spricht."*

„Er muss wörtlich genommen, das menschliche Sein dazu bringen, nicht mehr zu leben, nichts mehr zu verspüren, sich selbst zu absorbieren. Wenn man diesen Zustand erreicht hat, ähnelt der Geist, folgend den Bereichen dieser Mysterien, einer Schriftrolle, auf der die Natur schreibt. Der Fakir,

der eines der Stücke dieses Kristalls betrachtet, die dazu eingesetzt werden, um sich selbst zu hypnotisieren, erblickt dann in diesem Kristall all das, was er sehen will. "

Nach Abschluss dieser recht unvollständigen Skizze, weist man uns ein weiteres Mal auf die Wichtigkeit einer unverdorbenen Mentalwelt und einer Gesamtübersicht der Theorien, welche hier aufgezeigt wurden, hin, bevor man sich auf die grundlegendste Verwirklichung einlässt. Der erste Fehler führt unausweichlich zu tiefgreifenden Problemen im seelischen und geistigen Organismus des unvorsichtigen Experimentators. Jeder neu Bekehrte hat den Schlüssel zum Heiligtum in Händen, aber bevor man ihn gebraucht, muss man sich mit der Verwirklichung dieser Maxime der Universellen Weisheit, die nur in demjenigen liegt, „der nichts tut, ohne seinen Vater" vertraut machen:

„Der Mensch von dem sich der Geist in allem Guten löst, der sich selbst besiegt und der die Wünsche vertreibt, erreicht durch diesen Verzicht die höchste Perfektion der Ruhe. "

ENDE

Nachwort:

Hier ist es angebracht, einige Erklärungen zu dieser doch schwer verständlichen Schrift zu geben. Ich möchte gleich zu Beginn betonen, dass wir 5 Jahre für die Übersetzung benötigten. Dann mussten wir es mindestens noch 10 mal bearbeiten, denn der Stil, die Satzstellung usw. war aus dem Jahre 1895 und sollte an und für sich so beibehalten bleiben. Wir wussten jedoch nicht, ob dies für den Leser geeignet ist oder nicht. Wir wussten nur, bei stärkerer Veränderung des Stils, würde dieses Buch noch unverständlicher werden. Außerdem hätten wir die Möglichkeit gehabt, anstatt der aus dem Französischen übersetzten Zitate die deutschen Original-Zitate einzusetzen. Aber hätten wir dies getan, wäre das Verständnis für diese quabbalistische Schrift gänzlich verloren gegangen. So unterließen wir es!

Wir hoffen dennoch, dass es uns mit dieser Übersetzung gelungen ist, zu bestätigen, was Bardon in seinem dritten Werk „Der Schlüssel zur wahren Quabbalah" der Menschheit übergeben hat. Des Weiteren wollten wir seine Aussage untermauern, dass dieses Werk von Sedir eines der wenigen auf die quabalaistische Praxis hindeutenden Bücher ist, die uns die okkulte Literatur zur Verfügung stellt.

Weitere Bücher aus dem Christof Uiberreiter Verlag:

Das goldene Blatt der Weisheit
Seila Orienta/Franz Bardon

Zum ersten Mal in der okkulten Literatur wird die 4. Tarotkarte des Hermes Trismegistos verständlich beschrieben und offengelegt. Sie beinhaltet unbekannte Konzentrations- und Meditationsübungen. Des Weiteren gibt sie Hinweise und erklärt die Unterschiede zwischen Magie und Mystik und Gefahren des einseitigen Weges. Am Ende steht die Verbindung mit der universellen Gottheit, dem Herrn der Sonnensphäre, welcher quabbalistisch „Metatron" genannt wird.

*

5. Tarotkarte – Mysterien des Steins der Weisen
Seila Orienta/Franz Bardon

Dieses Buch stellt die Vorderseite der Alchemie dar, die die einzelnen praktischen Übungsschritte erklärt, ohne die verschlüsselten Mystifikationen der alten Alchemisten auch nur annähernd zu erwähnen, wie man es aus den anderen Büchern des Franz Bardon kennt. Es wird erklärt, dass ohne vollkommene Beherrschung der 4 Elemente keine Alchemie möglich ist. Des Weiteren wird mit den einzelnen Ebenen, mit den Matrizen, dem elektromagnetischen Fluid usw. gearbeitet. Doch der Hauptpunkt stellen die göttlichen Eigenschaften wie z. B. die Allmacht dar, mit denen der Göttliche Stein der Weisen durch gewisse Übungen geladen wird.

*

Talismanologie und Mantramkunde
Seila Orienta/Franz Bardon

Zum ersten Mal werden hier (magisch) geladene Mantrams – Gebetssätze – preisgegeben, welche bei nötiger Reife, Ausgeglichenheit und Reinheit durchdringende Erfolge versprechen. Mantrams sind ja nach Bardon nicht irgendwelche „Suggestionssätze", sondern sie sind Ideenausdrücke, mit denen man mit Mächten, Kräften, Eigenschaften, also Gottheiten, in Verbindung kommen kann. Gleichzeitig werden die dazugehörigen Siegelzeichen der göttlichen Ideen preisgegeben, welche im rituellen

Zusammenhang mit den Mantrams stehen. Ein Buch, dass nicht nur die Hermetiker, sondern auch die Anhänger der Yogawissenschaften inspirieren wird!

*

Eine Sammlung der schönsten und lehrreichsten Beschwörungsgeschichten
Hohenstätten

Dieses Buch ist einzigartig, denn es zeigt den zweiten Band von Franz Bardon an Hand von interessanten Evokationsberichten, die genau das bestätigen, was Bardon in seinem Buch geschrieben hat, und noch darüber hinaus. Es werden sensationelle Erlebnisse geschildert, die man sonst niemals findet. Auch aus unveröffentlichten Schriften wird zitiert.

*

Verkörperungen des Meister Arion
Hohenstätten

Man wird beim Lesen dieses Buches nicht glauben, wie viele bekannte und unbekannte Inkarnationen Franz Bardon hatte. Die paar, die im „Frabato" bekannt gegeben wurden, stellen nur einen geringen Teil seiner Verkörperungen dar. Wir mussten, da es dermaßen wenig Literatur über die Verkörperungen gab, wieder hunderte und aberhunderte von Büchern, Aufsätzen, Zeitschriften und Artikeln durcharbeiten, bis wir genügend Material für dieses Buch hatten. Aber der Leser wird sich beim Lesen sicherlich über unsere Arbeit freuen, denn sie wird ihn in Erstaunen versetzen!

*

Shamballa, der goldene Tempel des Lichts
Hohenstätten

Dieser Tempel dürfte jeden Leser von Bardons Roman „Frabato" fasziniert haben. Dass es aber in der okkulten Literatur noch viel mehr Informationen darüber gibt, die man aber nur findet, wenn man alles Veröffentlichte gelesen hat, dürfte dem einen oder anderen unbekannt sein. Es wurden wieder ganze Stöße von Büchern durchgesehen und das Ergebnis wird hier veröffentlicht. Es wird aber gleichzeitig darauf hingewiesen, wie viel Schundliteratur es darüber gibt, wie viel Lügen im Umlauf sind, damit sich der Schüler der Hermetik ein klares Bild machen kann. Wir bringen in diesem Buch alles, was wir an Material darüber gefunden haben und es wird auch noch einiges aus der eigenen Erfahrung, was das Wertvollste ist, mitgeteilt. Nicht nur über den Tempel wird berichtet, sondern auch über die damit verbundene „Bruderschaft des Lichts", dessen Sitz er darstellt.

*

Auf der Suche nach Meister Arion
Hohenstätten

Diese Autobiographie eines Schüler der Hermetik des Franz Bardon schildert sein magische Leben, in welcher zahlreiche Erfahrungen zu den Übungen aus dem Adepten geschildert werden, die die Hauptperson selbst erlebt hat. Es wird der schwere Weg des Adepten aus autobiographischer Sicht gezeigt, seine vielen Tiefschläge, aber auch seine glanzvollen Seiten und Zeiten. Der harte Kampf mit dem Seelenspiegel wird bis in alle Einzelheiten aufgezeigt, genauso wie die vielen anderen Wege, in welche der Autor reinschnupperte, um dadurch reichlich Erfahrung sammeln zu können. Darüber hinaus enthält es unzählige Erfahrungen und Berichte betreffs Mantramistik nach Bardon, die wahre Runenmagie, zahlreiche Evokationen sowie Invokationen mit seinem Lehrer Anion, einen magischen Exorzismus, wie er bisher noch nie öffentlich geschildert wurde. Mentalreisen, Beeinflussungen, Übungen zur Gottverbundenheit, Erscheinungen, Alchemie, Heilungen mit den verschiedensten magischen Methoden z. B. Quabbalah oder durch die Elemente, Schutzgeistevokationen und viele andere magische „Wunder" seines Freundes und Lehrers Anion. Auch einige magische Fotos in Farbe, ein bisher von Bardon unveröffentlichtes Akashafoto von Christus und ein Bild des schwebenden Meister Arion werden in diesem Buch preisgegeben. Der Inhalt ist viel reichlicher, als hier kurz beschrieben werden kann.

*

Magisches Gleichgewicht
Hohenstätten

Dieses Buch zeigt eindeutig, dass in allen anderen Systemen das „Gleichgewicht" genauso gebraucht wird, wie bei Bardons Werken. Er war nicht der Einzige, der das erwähnte, aber er war der erste, welche es deutlich erklärte, denn die anderen Systeme sprachen nur durch das Symbol, welches nicht jedem Leser verständlich war. Obendrein bringen wir noch Unveröffentlichtes vom Meister Arion zu dieser Grundlage der magischen Entwicklung.

*

Das Leben und die Erfahrungen eines wahren Hermetikers
Seila Orienta

Diese Autobiographie eines Magiers ist unübertroffen, denn bis jetzt hat kein einziger, okkult Geschulter, so offen und ehrlich gesprochen wie Seila Orienta. Er gibt in diesem Werk sein Leben bekannt, sowie seine zahlreichen und äußerst interessanten Erlebnisse und Erfahrungen. Es werden auch zum ersten Mal Fotos von Wesen der Sphären gezeigt, welche Franz Bardon höchstpersönlich in den 20ern gemacht hat. Des Weiteren schreibt Seila Orienta über die Sphären, über Dämonen, Logenkontakte und vieles, vieles mehr, was einem ehrlich strebenden Hermetiker das Herz übergehen lassen wird.

*

Das Leben des Franz Bardon
Hohenstätten

Dieses Buch beschreibt das Leben des Meisters außerhalb des Frabatos, welches seine Sekretärin – Otti V. – geschrieben hat. Es beinhaltet Erklärungen zu seiner „Biografie", weitere Einzelheiten über den Kampf mit der FOGC, seine Beziehung zu Wilhelm Quintscher und anderen Okkultisten, was alles bisher unbekannt war! Des Weiteren werden viele Erlebnisse seiner Schüler in Prag erzählt, verschiedene magische Leistungen und interessante Geschichten Bardons beschrieben, die bis dato unveröffentlicht sind. Es werden auch seine drei Lehrwerke und deren Wirkung auf die Öffentlichkeit von einem anderen, unbekannten Standpunkt geschildert, welcher durch bisher schwer zugänglichen Schriften unterstützt wird. Als Krönung wird seine aus dem tschechischen übersetzte „Runenschrift" zum ersten Mal veröffentlicht. Auch einige Seiten aus anderen unveröffentlichten Schriften von ihm sowie interessante Fotos des Meister Bardon und seiner Freunde werden hier preisgegeben und vieles, vieles mehr.

*

In Verbindung mit der Gottheit
Hohenstätten

Über das Thema der Gottverbundenheit mit all seinen Formen und

133

Methoden wurde bis heute noch nie ein Buch verfasst geschweige denn eine Schrift geschrieben. Man findet in der okkulten wie in der östlichen Literatur nur spärliche Hinweise, die größtenteils verschlüsselt sind oder so geschrieben wurden, dass man sie kaum versteht. Im Gegensatz dazu wird in diesem Buch offen dargelegt, dass das 1. kleine Arkanum der 78 Tarotkarten die Gottverbundenheit in ihrer Reinform darstellt.

*

Hermetische Heilmethoden
Hohenstätten

Dieses Buch stellt in der okkulten Literatur ein absolutes Unikum dar, denn über die Gesamtheit der okkulten Heilmethoden wurde bis jetzt noch NIE etwas Sinnvolles geschrieben. Es werden alle Heilmethoden erwähnt, die der hermetische Schüler mit Hilfe seiner bisher erlangten Konzentrationsfähigkeit ausüben und verwenden kann.

*

Erste hermetische Zeitschrift

„Der hermetische Bund teilt mit" ist eine der wenigen magisch-mystischen Zeitschriften, welche sich soweit als möglich auf die universelle Lehre von Franz Bardon bezieht. Sie versucht sich an die Gesetze des 4-poligen Magneten zu halten und vermittelt Wissen sowie Hinweise für die Praxis, damit der Leser die Möglichkeit hat, sie in seinen hermetischen Weg aufzunehmen und für sich gewinnbringend zu verarbeiten.

Noch viel mehr hermetische Literatur finden Sie auf unserer Website: http://www.hermetischer-bund.com.

Viel Vergnügen beim Stöbern!

Der Verlag

Lightning Source UK Ltd.
Milton Keynes UK
UKHW021426300620
365806UK00004B/678